MEMORIA de la HISTORIA

Episodios

Memoria de la Historia pretende ofrecer a los lectores la Historia contada por quienes la hicieron, por los mismos *personajes* que en vez de figurar en las páginas de los libros como objeto pasivo, adquieren voz y nos cuentan su vida y su peripecia en primera persona. La Historia como una novela personal, autobiográfica, en la que todo lo que aparece en estas páginas es verdad, con hechos ciertos y comprobados, pero que se presentan con la inmediatez y el dramatismo que da al relato la voz del protagonista, supuesto historiador de sí mismo gracias a la pluma de unos escritores que consiguen el difícil y apasionante equilibrio entre los materiales de la crónica, tratados con el máximo respeto, y el enfoque que corresponde a la más amena de las narraciones novelescas. Otra vertiente de estas semblanzas es la evocación de *episodios* del pasado en tercera persona con todo el rigor que exige el trabajo del historiador y la amenidad de la novela.

Éste es el objetivo de una colección que aspira a fundir lo más atractivo que pueden ofrecer la historia y la literatura.

Historia de las historias de Amor

Carlos Fisas

Historia de las historias de Amor

Planeta

COLECCION MEMORIA DE LA HISTORIA

Editorial Planeta, S.A., Córcega, 273-277, 08008 Barcelona (España)
Editorial Planeta Venezolana, S.A.
c/Madrid, entre New York y Trinidad, Qta. Toscanella
Urb. Las Mercedes, Caracas, Venezuela
Diseño colección y cubierta de Hans Romberg (realización de Francesc Sala)
Ilustraciones cubierta: detalles de lady Hamilton, miniatura (Museo Nelson; foto Oronoz), y de «El amante coronado» de H. Fragonard (Col. Frick, Nueva York)

Procedencia de las ilustraciones: AISA, Archivo Editorial Planeta, Archivo Vendrell, Foto Mas, Giraudon y Goldner

Primera edición en Colección Memoria de la Historia: enero de 1989
(Primera reedición: abril 1989)
Depósito legal: B. 45.818-1988
ISBN: 84-320-4508-X
ISBN: 84-320-4418-0 publicado anteriormente en Colección Documento
ISBN: 980-271-101-2
Impreso en Venezuela - Printed in Venezuela
Por: Lito-Jet, C.A.

Ediciones anteriores

En Editorial Planeta (Colección Documento)
1.ª a 3.ª: febrero de 1988 a abril de 1988

Índice

Alla povera
LIÙ
ed all'amore
come tutto nella mia
vita

PRÓLOGO HOY

DE CÓMO UN PRÓLOGO PUEDE SER INTERESANTE PARA EL AUTOR Y NO PARA LOS LECTORES, QUE PUEDEN SALTÁRSELO SI GUSTAN

El amor es un no sé qué que empieza no se sabe cómo y termina no se sabe cuándo. Esta frase, de una dama francesa del siglo XVIII, es, a mi parecer, una de las más acertadas definiciones del amor. Y lo sería totalmente si no fuese por su última parte. Cuando se ama no se piensa, ni se puede pensar, que ese sentimiento pueda terminar. Mientras dura, el amor es eterno, y no se tome esta afirmación como una frase más o menos ingeniosa. Cuando se ama, cuando se ama de verdad, no se puede pensar en que el amor que se siente pueda tener fin. Si ello se imagina el sentimiento será ilusión, pasión, deseo, lo que se quiera, pero no amor. El amor es sublime, total, absoluto, es invencible, es avasallador; ¿cómo imaginar que lo que sentimos con tanta ansia, con tanto ardor, pueda terminar un día?

Y, a veces, sí, termina. Con dolor, con sufrimiento, con desilusión. Aquello que habíamos imaginado eterno tiene, como otras cosas, un final. Pero ¿en realidad es así? Creo que el enamorado, el que siente la pasión de amar hasta lo más recóndito del corazón, hasta los tuétanos, continúa amando. El amor se lleva dentro y es tal la fuerza del amor que es fácil que, después de su muerte aparente, surja con más ímpetu, aplicado a otro ser.

Hoy la palabra amor ha sufrido una desvalorización extraordinaria: se dice *hacer el amor* para referirse al simple coito. Pero el amor, primero se siente, luego se piensa y por fin se hace. Se hace incluso sin contacto carnal. El amor no es producto de unas determinadas glándulas sino que es, en esencia, espiritual.

Pero si el alma, el espíritu es la base del amor, el cuerpo tiene sus exigencias y sus deseos. En este libro, amigo lector, encontrarás ejemplos de una y otra actitud. ¡Se confunden tantas veces amor y sexo!

En el mundo actual, en España, como en otros sitios, se habla mucho de *romances* o uniones *sentimentales*. Las revistas del corazón, que generalmente apuntan más abajo y que a mi entender deberían llamarse *cardio-vaginales*, están llenas de esas historias que hacen las delicias de millones de lectores de todo el mundo; nombres célebres unos, desconocidos otros, a no ser por los fanáticos de la televisión o de la música rock, pop u otros, aparecen en las citadas publicaciones una semana sí y otra también. Estas falsificaciones del amor son la peor publicidad del amor verdadero.

Creo que, en el fondo, lo que se busca en el amor es el placer, sea espiritual o físico, eso depende de cada cual. He comparado muchas veces a la mujer con un violín y al hombre con un violinista.

Para tocar el violín los dos son necesarios. Si violín y violinista son malos, el resultado es un fracaso. Si los dos son excelentes el resultado es un concierto. Y ello vale tanto en el campo del espíritu como en el del cuerpo.

Incluso con un mal violín un buen violinista puede ejecutar una bella melodía. Sabrá escoger las mejores cuerdas, las mejores notas, las mejores resonancias. Pero incluso con el mejor violín del mundo, un aprendiz de violinista no obtendrá más que sonidos desagradables.

Claro está que si el violín no tiene cuerdas, el violinista es inútil; pero si el violín es bueno, aunque el violinista no tenga arco, podrá obtener de él maravillosos, armónicos y seductores *pizzicatti*.

Por ello se ven Stradivarius que pasan de mano en mano hasta el momento en que caen en las de un buen maestro. Este es el único que puede tocar en tan bello instrumento. Los otros deben contentarse con violines de segunda o tercera categoría.

Cuando un violinista toca, no piensa en el violín, piensa en la música. Sus dedos se mueven con independencia de su cerebro. No piensa más que en la melodía, parece mecánico pero no lo es. Para llegar a ese resultado ¡cuántas horas de estudio, de sacrificios, de voluntad y de vocación ha necesitado!

Y sin genio, todo ello no es nada. Se nace músico o no y el que nace músico, si tiene vocación, se perfecciona día a día.

En amor la igualdad no existe. El placer espiritual o corporal es una aristocracia de los sentidos. La democracia burguesa o industrial —hablo siempre refiriéndome al amor y no a una clase social— es incapaz de provocarlo y el proletariado sexual o del espíritu no pueden producir más que productos masificados. El placer, el amor, son arte, refinamiento.

Un buen amante, un buen enamorado —como un buen músico—, no toca para el público, sino para sí mismo y, sobre todo, para conseguir una buena música. Hace los gestos necesarios, no tiene necesidad de dar en espectáculo. Ello es precisamente lo contrario del donjuán, para quien la música no tiene ningún interés y sólo actúa para el público.

El hombre debe crear el placer, la mujer debe sumergirse en él. Por ello la combinación ideal es la de una mujer sensual y un hombre voluptuoso.

Llamo sensual a toda persona que goce espiritualmente con un placer corporal y corporalmente con un placer espiritual; por ejemplo, escuchando música el cuerpo se relaja y puede llegar al goce y, al revés, saboreando un vino de gran categoría el espíritu se eleva y disfruta. Llamo voluptuoso a quien necesita o prefiere gozar en compañía.

Y repito, por enésima vez, que todo lo dicho debe aplicarse por igual en el campo espiritual como en el físico o corporal.

El amor es como una chimenea, que cuando es más bonita es cuando se enciende. Brotan las llamas iluminando la habitación y alegrándola con el chisporroteo de las ramas, pero cuando calienta es cuando todo ello ha desaparecido y quedan las brasas. De todos modos hay que cuidar del hogar aportando leña con asiduidad. En esta chimenea son dos los que han de cuidar del fuego, pues si sólo lo hace uno es muy probable que el otro se canse y lleve la leña a otra chimenea.

En otros libros míos he hablado de historias de amor. En la primera serie de mis *Historias de la Historia* escribí sobre los celos y una complicada historia de amor bizantina; en la segunda serie, del oficio más antiguo del mundo y los amores de Carlos I, amén de cuatro sonetos de amor y una expresión desesperada, y de Lola Montes. En la tercera serie se habló de Isabel II, Catalina la Grande de Rusia, la condesa sangrienta, Teodora de Bizancio y la Paiva y, por fin, en la cuarta serie salían a la palestra Abelardo y Eloísa, Ninon de Lenclos y una historia de amor y medicina psicosomática.

Este libro que tienes en tus manos, amigo lector, habla de amores, unos espirituales y platónicos, otros puramente carnales y algunos simplemente prostituidos. Pero el amor es tan bello que incluso sus sucedáneos son hermosos.

Año 30 a. J.C.

De cómo, según Pascal, la nariz de una reina hubiese podido cambiar la historia del mundo

CLEOPATRA, LA AMANTE EXÓTICA

César era todavía un niño cuando Sila, que le conocía bien, quiso exiliarlo de Roma y lo inscribió en una de sus muchas listas de proscripción. Amigos de César y de Sila convencieron a este último para que revocase la orden, lo que hizo Sila diciendo:

—Haré lo que queréis, pero este muchacho nos dará más quehacer que varios Mario.

Aludía con ello a su más grande enemigo.

Era hombre audaz y valiente. Una vez fue capturado por unos piratas que le dijeron que pedirían veinte talentos por su rescate.

—¿Veinte talentos? ¿En tan poco me valoráis? Yo os pagaré cincuenta por mi libertad. Pero, eso sí, en cuanto esté libre os lo haré pagar.

Y, efectivamente, cuando recobró la libertad armó una flota, persiguió a los piratas y los hizo ahorcar.

Siempre ambicioso, dijo un día pasando por un pequeño pueblecito:

—Preferiría ser el primero en este villorrio que el segundo en Roma.

Un día frente a una estatua de Alejandro Magno no pudo contener las lágrimas y sus acompañantes le preguntaron por qué lloraba.

—Porque a mi edad Alejandro había ya conquistado la mitad del mundo y yo todavía no.

Poco tiempo le faltaba para ello. Tras las guerras civiles y la de las Galias, de las que nos ha dejado testimonio en sus escritos, César volvió sus ojos al mundo que rodeaba Roma. Una por una iba reduciendo las naciones vecinas. Algunas en forma tan rápida que le permitieron dar el comunicado que se ha hecho célebre: *Veni, vidi, vinci,* llegué, vi y vencí. El vencido era Farnaces, hijo de Mitrídates, rey del Ponto.

Pero Roma se iba engrandeciendo y cada vez eran mayores sus necesidades. El abastecimiento de la ciudad se hacía más difícil cada año. Si el trigo llegaba a faltar, Roma se hundiría. Y la mayor parte del trigo llegaba de Egipto. Fuerza era, pues, conquistar este país.

Y así se hizo. La lucha era desigual. Por un lado las experimentadas legiones romanas, por otro un ejército, valiente, sí, pero sin un general de valía. César venció, según su costumbre, y se estableció en Alejandría, la ciudad fundada por su admirado Alejandro Magno.

La reina Cleopatra había huido y no se sabía dónde estaba, cosa que preocupaba poco a César. ¿Qué podía temer de una jovencita inexperta que gobernaba desde los diecisiete años un país de un millón de súbditos sin tener ninguna experiencia sobre ello? Cleopatra se había casado con su hermano Tolomeo XII, que, accidentalmente, o así se dijo, había muerto ahogado en el Nilo. Luego había contraído nuevas nupcias con otro hermano, Tolomeo XIII, con el que vivía cuando César conquistó su reino. El incesto de los reyes era ritual y obligatorio. ¿No eran descendientes de los dioses? y ¿con quién podían emparentar dignamente sino con ellos mismos?

Un día avisaron a César.

—Hay aquí un tal Apolodoro, sirviente de Cleopatra, que quiere verte. Trae consigo una alfombra para ofrecértela.

Llegado Apolodoro frente a César, desenrolló la alfombra y de su interior apareció una joven mujer:

—Ave, César, soy Cleopatra.

La joven era bella, morena —otros dicen que se teñía el pelo de rojo—, sus ojos brillaban y sus labios sonreían incitadores. César se conmovió, la miró y le gustó. Aquella noche fueron amantes.

Probablemente Cleopatra era menuda. Su hermosura, cantada a lo largo de los siglos, tal vez hoy no nos parecería tal. Su nariz debía ser aguileña. Pascal, siglos después, diría que «si la nariz de Cleopatra hubiera sido más corta la faz del mundo habría cambiado»; luego un humorista de la misma nación afirmó que «es posible que la faz del mundo hubiese cambiado, pero lo que es seguro es que lo que hubiera cambiado hubiera sido la faz de Cleopatra».

Sus pechos eran menudos y de forma cónica y su tez morena aunque menos oscura que la de sus compatriotas. Plutarco nos dice que su hermosura no era tal que asombrara.

Pero era lista, y sabía serlo, cosa más difícil todavía. César, como todos los hombres, era vanidoso y gustaba contar sus proezas guerreras. Lo mismo les pasa a los cazadores con sus triunfos cinegéticos.

Cleopatra sabía escuchar y sus silencios eran tan expresivos que César la creyó una gran conversadora. Al fin y al cabo César era un hombre como todos los demás. Y como todos debía contarle sus batallitas.

—Cuando Camilo libró Roma de los ataques de los galos, la ciudad hizo juramento de crear un gran tesoro para cualquier necesidad urgente, tesoro que no fue tocado nunca, ni siquiera durante las guerras contra Pirro y Aníbal. Pero para guerrear contra Pompeyo lo cogí diciendo: «Absuelvo a Roma de su juramento ya que por mis méritos ya no existen los galos.»

Cleopatra sonreía con admiración.

—Una vez, durante una batalla, mis tropas encontraron una resistencia que no esperaban. Viendo que emzaban a retirarse salté sobre mi caballo y arrebatando el lábaro de manos de un portador le grité: «Te equivocas, el enemigo está enfrente y allí debes llevarlo.» Y ganamos la batalla.

Una deliciosa sonrisa premió al narrador.

—¿Y tú sabes cómo conquisté Roma? El río Rubicón, al norte de la ciudad, era un límite que no se podía atravesar si uno no quería verse declarado enemigo de la patria. Vacilé un rato, no lo niego, pero por fin lo atravesé diciendo *Alea jacta est*, el dado, la suerte, está echada. Y así gané Roma.

Un aplauso de las manos de Cleopatra.

Y así pasaban los días; las noches eran diferentes, pues Cleopatra quedó embarazada. El fruto de sus amores se llamó Cesarión.

Julio César debía volver a Italia. Pero ¿cómo hacerlo sin esa encantadora mujer? ¿Cómo le recibirían los romanos? Una amante, un capricho, lo comprenderían, pero esa pasión, este ardor, ¿le comprometería?

Los romanos adoraban una diosa misteriosa llamada la Bona Dea en honor de la cual cada año se celebraba una fiesta en casa del pretor, con exclusión absoluta de los hombres y contando con la presencia de las más notables matronas. Cuando César fue pretor, la fiesta fue celebrada en su casa y la presidió su esposa Pompeya. Un tal Clodio quiso participar en la fiesta vistiéndose de mujer, pero fue descubierto y expulsado. Se dijo que Clodio era amante de Pompeya. Al día siguiente César repudió a su mujer, pero cuando se hizo el proceso a Clodio declaró en su favor. Cuando los jueces le preguntaron el porqué de tal contradicción, pues si creía inocente a Clodio no tenía por qué haber repudiado a Pompeya, respondió:

—No basta que la mujer de César sea inocente, no se debe ni siquiera sospechar de ella.

Pese a todo, César instaló en Roma a Cleopatra con todo el lujo que podía ostentar una reina. No se olvide que Roma era una república y que había quien sospechaba que César quería proclamarse emperador. Un día dijeron a Catón que César estaba pensativo y adusto y le preguntaron si podía imaginar la razón.

—Estudia con larga meditación y sangre fría el modo de arruinar la república —respondió Catón.

En este ambiente lo lógico sucedió. La sociedad romana se dividió entre los reacios a aceptar la presencia de Cleopatra y los que le rindieron pleitesía. Las damas murmuraron, como era su costumbre.

—Es fea...

—Es cetrina de piel...

—Se tiñe el pelo...

—Es la vergüenza de Roma...

Pero no por ello dejaban de asistir a sus reuniones. Como puede verse, el tiempo no ha cambiado las costumbres.

César tuvo que abandonar a Cleopatra para ir a combatir en España. Cleopatra se quedó en Roma luchando por él. Un hombre había que le daba miedo, se llamaba Bruto. Se enviaban correos dándose mutuamente noticias. Jamás Cleopatra se atrevió a preguntar a César si era verdad lo que se murmuraba en la urbe: que Bruto era hijo de César.

Un biógrafo de la reina, Carlo Maria Franzero, nos explica la vida de Cleopatra en Roma.

«Los salones de la villa transtiberina eran ahora más frecuentados que nunca. La reina estaba allí para complacer, para agradar, para allanar el camino a César. Permitía, mejor, fomentaba las discusiones políticas. Eran muy fastidiosas, pero le ayudaban a saber los vientos que soplaban.

»En las discusiones sobre la decadencia política había algunos puntos que no acertaba a comprender. Roma, como gran ciudad, le parecía algo primitiva, y la vida romana poco refinada. El lujo carecía de elegancia y buen gusto, como si fuera obra de un esfuerzo provinciano por introducir demasiado aprisa cosas y maneras de vida vistas en los viajes o en la guerra. Los viejos se lamentaban de que la ciudad ya no fuera el baluarte de las austeras tradiciones. ¿Qué entendían por tradiciones? ¿Acaso aquellos romanos no tenían sentido del progreso? La antigua religión, decían, estaba acabándose: un soldado blasonaba de haber hecho una fortuna vendiendo a pedazos una estatua de oro de Diana que había robado al saquear una ciudad. También imprecaban la relajación que había invadido la vida matrimonial: senadores, cónsules, altos funcionarios del Estado repudiaban a sus esposas por cualquier pretexto. El mismo Cicerón, que se las daba de moralista, había dicho a su esposa Terencia las crueles palabras del divorcio: «Sal de mi casa y llévate todo lo que te pertenece», y la había reemplazado por una nueva esposa, más joven y linda. (Alguien había cuchicheado a la reina que la pobre Terencia vivió casada con Cicerón treinta años; tal vez el divorcio fuera una liberación para ambos.) Otro viejo, aún más pesado, lamentaba la corrupción moral: la culpa, decía el infeliz, era de las inmensas fortunas acumuladas en el curso de las guerras recientes; las nuevas riquezas adquiridas habían hecho desaparecer las sencillas costumbres de otros tiempos. El oro era ahora el único dios. Usado en un principio sólo para la decoración de los templos, ahora se gastaba en las casas privadas, en las que todo era de oro o dorado. ¡Cuánta razón tenía el viejo Catón para ir descalzo y con una toga raída en señal de protesta! Pero la gente lo único que hacía era reírse de él. ¿Y qué decir de la extravagancia de la moda femenina? Las mujeres lucían adornos de oro en todo su cuerpo: ¡brazaletes en los brazos, sortijas en el cabello, hebillas en los tobillos!

»Cleopatra escuchaba todo eso acariciando indiferente su largo collar de perlas rosadas. Los propios ojos de aquel amargado detractor de tanta corrupción se clavaban lascivamente en su maravilloso busto, que palpitaba bajo los velos transparentes. "¿No era eso —observaba ella suavemente— el inevitable resultado de las conquistas y el engrandecimiento? Los conquistadores veían nuevas tierras, nuevos pueblos, nuevas formas de vida. Estas novedades formaban parte del botín que traían a Roma. Las antiguas leyes no podían durar siempre; la cultura y el progreso exigían cambios. Había en el mundo otras ciudades cuya vida y cultura habían alcanzado un nivel diferente o tal vez más alto que el conocido en Roma. El Senado debiera enviar cuanto antes una comisión para estudiar los diversos e interesantes aspectos de la vida, el comercio y la administración de su capital, Alejandría. Esta comisión tal vez encontraría ventajoso y práctico el sistema centralizado del gobierno egipcio...”»

A inicios del año 45, a. J.C., César, que había derrotado en Munda a sus enemigos, volvió a Roma y en una de sus reuniones en casa de Cleopatra le presentó a Marco Antonio.

Éste era un hombre guapo de treinta y ocho años. Los escritores lo describen como alto, atlético, abundante cabellera negra... Él aseguraba medio en serio medio en broma que descendía de Hércules. Medio en serio, porque ello le daba importancia, medio en broma, porque era hombre con gran sentido del humor dispuesto a burlarse de todo el mundo empezando por sí mismo. Era, además, hombre valiente y sus soldados le adoraban.

Sabía que era un buen orador y, como todos los que lo son, accionaba con gracia y garbo impresionando al auditorio. Hoy hubiese sido un gran conferenciante, es decir, autor y actor de su propio texto, lo que quiere decir que la mayor parte de los llamados conferenciantes no lo son.

Antiguo enemigo de César, se había convertido en entusiasta propagandista suyo y no se recataba de decir que deseaba la restauración de la monarquía con César como rey emperador.

Y éste tomaba cada día más una actitud arrogante que alarmaba a muchos. Por otra parte sus gustos se apartaban cada vez más de los tradicionales en Roma para decantarse hacia los usos orientales... egipcios, claro está.

Narra el ya citado Carlo Maria Franzero.

«Un día César iba por Roma en un carro egipcio, llevando sobre su calva una corona de laurel de oro; el populacho se preguntó indignado si ya no eran bastante buenos los carros romanos. ¿Qué significaba aquel carro egipcio puesto tan rápidamente de moda? Se hizo para César una nueva silla curul copiada del trono de los reyes Ptolomeos. Artistas venidos de Alejandría diseñaban la nueva acuñación de moneda; técnicos alejandrinos estaban reorganizando el sistema financiero de la tesorería romana; ¡hasta los juegos del circo se confiaban ahora a empresarios alejandrinos! Tampoco gustaba al pueblo la reciente reforma del calendario; ¿qué tenía de malo el antiguo? Durante muchos siglos los meses romanos no habían coincidido con la evolución natural del año, de suerte que poco a poco las fiestas y días de sacrificio habían acabado por celebrarse en estaciones completamente opuestas a aquellas en que se celebraban las fiestas al ser instituidas; pero, ¿qué importaba? Los sacerdotes, las únicas personas que entendían algo en esta cuestión, solían insertar, de repente y de forma inesperada e inconveniente para los hombres de negocios, un mes intercalar, el Mercidonio, inventado por el antiguo rey Numa. ¡Y Numa fue un rey a quien se aparecía y le inspiraba una hermosa ninfa llamada Egeria! ¡Y ahora César, con la ayuda de matemáticos y astrónomos egipcios, había cambiado la antigua forma de contar las fechas de vencimiento de rentas e intereses! "¡Ah! —habíase apresurado a decir Cicerón—, mañana Lira saldrá en el firmamento por decreto del dictador."»

En esto se aproximaban los idus de marzo del año 44. Sus amigos le advirtieron que se estaba tramando algo contra él, por lo que tenía que estar atento y no exponerse a ningún peligro. No hizo caso:

—Mejor morir de una vez que temer la muerte toda la vida.

Pero, efectivamente, existía una conspiración contra él; los conspiradores se reunían en casa de Bruto y fijaron los idus como día para asesinarlo. La víspera del día fijado César cenaba en casa de Marco Lépido. Los invitados empezaron a discutir cuál era la muerte más hermosa. Él declaró:

—La menos esperada.

A César le había advertido un adivino que en los idus de marzo correría gran peligro y al dirigirse al Senado, donde le esperaban los conjurados, se encontró con él.

—Ya ves. Ya han llegado los idus de marzo.

—Sí —dijo el adivino—, pero todavía no han terminado.

Y al entrar en el Senado, segundos después, los conjuados se lanzaron sobre él. César quiso defenderse de los puñales y espadas que le herían, pero al ver entre los agresores a Bruto, se tapó el rostro con la toga, diciendo:

—¡Tú también, hijo mío!

Y cayó muerto. En su cuerpo se contaban veintitrés heridas.

Cleopatra se encontró sola. Desaparecido su protector pensó, por un momento, que Cesarión sería proclamado sucesor. Pero pronto se desengañó; quien se cuidó de ello fue Marco Antonio.

—No te hagas ilusiones. Vuelve a Egipto. Aquí no estás segura y allí estarás a salvo. De momento hemos formado un triunvirato. Octavio, Marco Lépido y yo, y ya veremos lo que sucede.

Cleopatra volvió a Egipto pero no se dio por vencida. Era todavía joven —este «todavía» tiene su explicación en una época en que las mujeres envejecían pronto o pronto eran consideradas viejas— y continuaba siendo ambiciosa. A rey muerto, rey puesto. Y puso su mirada en Marco Antonio.

Con César había sido fácil. César era hombre conocido no sólo por sus virtudes guerreras, sino también por sus vicios privados. Al entrar en Roma, sus soldados gritaban:

—¡Encerrad a vuestras mujeres que ha llegado el divino calvo! El marido de todas las mujeres y la mujer de todos los maridos.

César era bisexual.

Marco Antonio era distinto. Con César, Cleopatra había usado el cerebro. César se había encontrado con una mujer inteligente, instruida, que sabía escuchar. Era ambiciosa, sin duda, pero también lo era él. Se complementaban.

Cleopatra no dudó un instante, quien le convenía era Marco Antonio, que tenía a su alcance todas las mujeres que quería. Era menester superarlas a todas. ¿Cómo? Con la lascivia, con el arte erótico que, aparte de serle natural, había heredado de sus antepasados egipcios. Y a ello se dedicó y con tal fortuna que antes de partir para Egipto ya había hecho la conquista de Marco Antonio. Aunque, como tantas veces sucede, él no lo sabía.

El caso es que, debiendo hacer un viaje por el Asia Menor, Marco Antonio pidió a Cleopatra que se reuniese con él en Tarso. Al fin y al cabo, Egipto era una nación sometida a Roma. Aunque hubiese querido, que no lo quería, Cleopatra hubiese tenido que presentarse. Y así lo hizo, pero no como reina sujeta a Roma, sino simplemente como reina... y como mujer.

La embarcación con la que se presentó era verdaderamente regia, con un lujo oriental: los remos eran de plata, las velas de púrpura. Sentada en un trono de marfil, rodeada de las más bellas esclavas que había podido reunir, Cleopatra se presentó ante Marco Antonio, quien, en vez de esperarla, salió a su encuentro. Al subir al navío una orquesta de instrumentos exóticos acompañó la escena.

El trono, casi un diván, estaba cubierto por un toldo de seda con hilos de oro y muchachos impúberes disfrazados de Cupido abanicaban a la reina entre nubes de incienso. No era sólo una reina, era una diosa.

Marco Antonio se quedó a cenar. Iba con su séquito y todo el mundo quedó asombrado por el lujo que desplegó Cleopatra. Colgaduras de oro y púrpura, el suelo sembrado de flores aromáticas, muebles de ébano y marfil, todo era tan maravilloso que Marco Antonio se quedó asombrado.

—¿Te gusta?

—Muchísimo.

—Pues te lo regalo.

La cena terminó y Marco Antonio se quedó con Cleopatra. Al día siguiente las naves de ambos zarparon con rumbo a Alejandría. Él tenía cuarenta y dos años, ella veintinueve.

¿Se enamoró Cleopatra de Marco Antonio? Es difícil decirlo. Al parecer, sí. En su anterior relación con César, la política había jugado un papel importante. También ahora, pero, al parecer, menos.

La ambición de Cleopatra era firme e inextinguible. Un día apostó con su amante que en una sola comida gastaría diez millones de sestercios. Para ello disolvió en vinagre una perla que valía cinco millones y la bebió. Iba a hacer lo mismo con otra perla igual, cuando su amigo, Plauco, que servía de juez, dijo que era innecesario y la proclamó vencedora de la apuesta. Así se salvó una perla preciosísima con la que después se adornó la Venus del Panteón. Así por lo menos lo cuenta Plinio.

¿Por qué este alarde? Para asombrar a Marco Antonio que por aquellas calendas se había peleado con Octavio después que Lépido hubiese desaparecido del triunvirato. Quedaron en liza Octavio y Marco Antonio, que llegaron a las manos con suma facilidad.

Octavio iba ocupando los territorios romanos. Marco Antonio, que había ido dos veces a Roma, se veía hundido para siempre en sus ambiciones y volvió a Egipto, en donde en el ínterin Cleopatra había dado a luz dos gemelos a los que impuso los nombres de Helios, el sol, y Selene, la luna.

Pero también durante este tiempo, y en su estancia en Roma, Marco Antonio se había casado con una hermana de Octavio. Era un completo vodevil que terminó trágicamente.

Marco Antonio se dirigió a combatir a los partos. Fue derrotado, pero a su vuelta a Alejandría hizo celebrar un mentiroso triunfo. Sometido a la voluntad de Cleopatra, se divorció de su esposa y se casó con la reina egipcia. En su testamento, que hizo depositar en el templo de Vesta, nombraba a Helios soberano de las provincias del Este, y a Cleopatra y Cesarión soberanos de Egipto y Chipre. Era la ruptura del Imperio romano y Octavio no se lo iba a permitir. Penetró en el templo e hizo que las vestales le entregasen el testamento, que hizo leer en público en el Senado. Roma se indignó. Octavio declaró la guerra a Cleopatra, lo que era un subterfugio para declararla a Marco Antonio, y envió una flota de guerra contra ella mandada por Agripa.

Marco Antonio estaba demasiado ocupado entregándose a los placeres con Cleopatra. Un día, mientras se encontraba pescando desde su barco, Cleopatra hizo que un bucreador pusiera en el anzuelo de Marco Antonio un pescado salado. Cuando Antonio lo vio quedó sorprendido, y ella le dijo:

—Los egipcios pueden pescar peces, pero los romanos deben conquistar ciudades e imperios.

Ya era tarde. La flota de Agripa constaba de cuatrocientos barcos y la de Marco Antonio de quinientos. Pero estos últimos, por su pesadez, no pudieron derrotar a las embarcaciones más ligeras de Agripa. En Actium la batalla tomó tan mal cariz que los sesenta barcos egipcios emprendieron la huida. ¿Fue cobardía o un error de señales? No sé nada. El caso es que Marco Antonio, creyendo o viendo que Cleopatra le abandonaba, hizo que su flota diera media vuelta y perdióse la batalla.

A Marco Antonio le dijeron que Cleopatra había muerto. Aquél se desesperó y, deshaciéndose de sus generales, se retiró a una habitación y se clavó un puñal en el pecho.

La herida era mortal pero no instantánea. Tuvo tiempo de enterarse que Cleopatra vivía y se hizo trasladar hasta donde ella estaba. Llorando, la reina le juró su amor y Marco Antonio pidió una copa de vino, brindó por ella, bebió y expiró.

Cuando Octavio llegó a Alejandría, Cleopatra le esperaba desnuda en su habitación, pero él no hizo caso. Las artes seductoras de la bella mujer no hicieron mella en el ánimo de su vencedor, el cual le ordenó que le acompañase a Roma como rehén para figurar como prisionera en el desfile triunfal que se le preparaba.

Cleopatra, reina hasta el fin, no podía soportar tal desventura. Se dice que mandó que en una cesta de higos le trajesen un áspid gris del cieno cuya mordedura es mortal e hizo que la mordiera en un brazo —los pintores han popularizado la versión de que le mordió en un pecho, era más artístico—. Octavio quiso salvarla, pero no pudo; Cleopatra murió, y fue enterrada junto a Marco Antonio.

Cesarión, el hijo de César y Cleopatra, fue asesinado. Los dos gemelos, Helios y Selene, fueron trasladados a Roma y confiados a la tutela de la primera esposa de Marco Antonio.

Cleopatra había entrado en la historia y en las leyendas de amor.

Año 17

De cómo un profesor en amores y amoríos rememora en el exilio sus lecciones, cuando ya no tiene alumnos

OVIDIO, PROFESOR DE AMANTES

Está lloviendo en Tomis.[1] Ovidio medita y recuerda. Hace frío y a sus sesenta y un años no soporta ni el frío ni la humedad. Está solo en su casa, una sirvienta ha salido y Ovidio recuerda la Roma de sus amores, de la que hace diez años está desterrado. Añora el bullicio de sus calles, la brillantez de la corte de Augusto, hoy ya desaparecido y sustituido por Tiberio, la elegancia de sus mujeres... ¡Ay, sus mujeres! Ovidio repasa en su mente a aquellas que ha amado y le amaron. ¿Cuántas son? No lo sabe, ha perdido la cuenta, pero confía en que le recuerden, no en vano sus obras se leen, lo sabe por las cartas que escriben sus amigos. Sus obras...

Eran obras de amor y de amores escritas hace años. Entonces podía decir con vanagloria:

Si hay alguien en esta tierra que no conozca las artes del amor, lea este libro y, una vez instruido por la lectura del poema, ame.

Así empieza la obra de la que está más orgulloso. La tituló simplemente *Arte de amar.* ¡Cuánto gozó y cuánto sufrió para escribirla!

También el Amor me rinde acatamiento, a pesar de que suela herir mis entrañas con su arco y me abrase con sus

1. Hoy Constanza, a orillas del mar Negro, en Rumania.

antorchas incendiarias. Cuanto mayor es la fuerza con que Amor me traspasa, cuanto mayor la violencia de sus fuegos, tanto mejor vengaré las heridas.

¿Y Corinna? ¿Qué se habrá hecho de Corinna?

Quien a otros suele aconsejar, no toma precauciones para consigo mismo.

Sí, Corinna debe estar en brazos de otro aprovechando las lecciones que él le dio. Ovidio suspira y levanta la arpillera que tapa la ventana. Llueve y hace frío, pero su alma está todavía más lluviosa y más helada. ¿Llamará a una esclava para que le caliente el cuerpo y el lecho? Pero ¿y el corazón?; ¿quién es capaz de calentarlo?

El *Arte de amar* lo había escrito a los 44 años, en pleno vigor viril. En sus obras había condensado sus experiencias, sus esperanzas y sus desengaños. Burla burlando había disecado su corazón y lo había expuesto a la consideración pública. Pero, en Roma, ¿quién le podía disputar el título de maestro en el amor? No hacía mucho que en una de sus obras había hecho su autobiografía: [2]

Entérate posteridad si quieres saber quién he sido yo, el más famoso cantor de tiernos amores que estás leyendo.

Tengo por patria Sulmona, abundante en finas aguas, que dista de Roma noventa millas.[3] *Aquí nací yo y para que no dejéis de saber cuándo, el año en que fatalmente cayeron ambos cónsules.*[4]

Si ello significa algo, tengo una larga ascendencia de antepasados de mi clase, no he llegado a caballero[5] *por ningún don reciente de fortuna. Pero no he sido el primogénito: me engendraron cuando ya mi hermano había nacido, doce meses antes. El mismo lucero presidió el nacimiento de ambos, un mismo día había celebración con dos tartas de aniversario...*[6] *A mí ya desde niño... la Musa me arrastraba furtivamente a sus tareas. Con frecuencia decía*

2. Tristes IV, 10.
3. Ciento ochenta y ocho kilómetros. Sulmona es hoy una ciudad de unos treinta mil habitantes.
4. Nació el 20 de marzo del año 43 a. J.C. Es el año en que se constituye el segundo triunvirato compuesto por Octavio —después emperador Augusto—, Marco Antonio y Lépido. En estos días hubo una feroz represión contra los republicanos. Fueron asesinadas más de dos mil personas, entre ellas trescientos senadores, entre los que figuraba Cicerón.
5. Équite: grado inferior a patricio.
6. Como puede verse, la costumbre de las tartas de aniversario no es invención moderna.

mi padre: «¿Por qué emprendes una afición inútil? Ni siquiera el propio Homero dejó fortuna...» Mi corazón era tierno y no era precisamente inexpugnable ante los dardos de Cupido, lo movía la más liviana pasión.

Siendo casi un chiquillo me dieron una esposa que no fue adecuada ni útil y que estuvo poco tiempo casada conmigo. A ésta sucedió una mujer que, aunque improbable, no iba a ser la definitiva en mi lecho. La última, que permanecerá conmigo hasta los años tardíos, soportó ser la mujer de un desterrado.

Ovidio revive en Tomis su vida de amores y sucesivas amantes. Sus experiencias las narra en su *Arte de amar,* que va recordando melancólicamente.

Los detalles cautivan a los espíritus delicados.

Cuántas veces había ahuecado un cojín con mano hábil, movido un abanico con suavidad, acariciado suavemente las mejillas y el cuello de la mujer deseada. Las pequeñas caricias preparatorias que la gente vulgar ignora. Cuando venía la noche en la que se ocultan los defectos y se ignora cualquier tara y esa hora embellece cualquier mujer, Ovidio sabía decir las palabras justas.

Incluso aquella que podías pensar que no quiere querrá.

La ocasión de Venus, tan agradable le resulta al hombre como a la mujer. El hombre lo disimula mal, ella encubre mejor su deseo.

Convengamos el género masculino en no ser los primeros en hacer proposiciones a ninguna mujer; de inmediato la mujer, rendida, tomará el partido de ser ella quien las haga.

Tanto las que dicen que sí como las que dicen que no, de todos modos se alegran de ser solicitadas.

De nuevo acude a su mente el recuerdo de Corinna. ¿Existió en verdad? ¿Fue Corinna el resumen de todas las mujeres que él había querido?

¿Y Julia, la hija de Augusto? Ovidio no sabe que es a causa de ella por lo que se encuentra desterrado. Quizá fue por su vida licenciosa, quizá por razones políticas. Si fuese por lo primero, a la muerte de Augusto, Tiberio le hubiera llamado a su lado. Es probable, pues, que fuese la política la causa de su destierro. Pero ¿por qué? Si Ovidio lo sabe, no nos lo ha dicho. Ovidio abriga la creencia de que son sus obras licenciosas las que le han llevado a Tomis. Es natural, es lo más importante de su vida. Ha vivido por el amor y para el amor. Ahora tiene a su disposición las lugareñas de la vecindad con las que las sutilezas del amor físico son impracticables. El amor es algo más que el simple coito. Es asediar, vencer a veces, batirse en retirada otras con ánimos de volver a emprender la ofensiva. Es un juego como el del circo en el que al final los dos contendientes salen vencedores y vencidos a la vez.

Recuerda a Livia, cómo le costó vencer su resistencia. Suplicó y suplicó.

Procura prometer; ¿qué te va en hacer promesas? Cualquiera puede ser rico en promesas. La esperanza perdida desde el momento en que se tiene fe en ella. Desde luego que es una divinidad engañosa pero útil sin duda.

Si llegas a regalar algo puedes verte relegado calculadoramente: habrán tomado lo que hubo y nada han perdido. Pero lo que no has regalado, siempre parecerá que has estado a punto de regalarlo.

¿Por qué escribió estas palabras? La experiencia le ha llevado a mirar con cinismo los ardides del amor. No tenía que haber escrito. Gozar de la vida era suficiente. Las mujeres no se le negaban. Quizá su error fue haber dado a la publicidad sus consejos y reflexiones. Pero ¿quién sabe? Tal vez fue precisamente la lectura de sus libros la que hizo posible su éxito con las mujeres. Era un escritor célebre, demostraba conocer los trucos del amor tanto físico como espiritual. Conocía a las mujeres. ¡Había tratado a tantas!

Cualquier mujer se cree digna de una pasión amorosa, aunque sea la más fea; a ninguna deja de gustarle su propia apariencia.

Sin embargo, más de una vez aquel que fingía ha empezado a amar de veras; más de una vez lo que en un principio había simulado llega a ser de verdad. Así que razón de más. ¡Muchachas, ofreceos a los farsantes fácilmente! El amor llegará a ser verdadero, ese mismo que antes era falso.

Los dedos de Ovidio imaginan las caricias que han prodigado. Su mente sueña en aquella o aquella otra mujer que tuvo en sus manos y cuyos labios besó con avidez. Sus brazos quieren oprimir el cuerpo de aquellas bellas romanas que tantas veces compartieron con él su lecho. Pero todo eso está lejos, muy lejos en el espacio y en el tiempo. Ovidio sueña e imagina un porvenir que él no verá jamás. Millares y millares de hombres y mujeres que seguirán sus consejos. Ahora es él quien llora, él, que había aconsejado a tantas mujeres.

Incluso las lágrimas son útiles y vosotros hombres llorad también. Amante: si puedes, procura que ella vea húmedas tus mejillas. Si te fallan las lágrimas, que ciertamente no siempre acuden a tiempo, restrégate los ojos con la mano mojada.

¿Qué hombre experto no mezclará los besos con palabras enternecidas? Aun cuando ella no te los dé, tómalos tú sin que ella los haya otorgado. Es posible que al principio ella se defienda y te llame malvado. No obstante, lo que ella quiere es ser vencida en la lucha. Ten únicamente precaución de que tus arrebatos no dañen desmañados sus tiernos labiecitos ni pueda ella quejarse de que han sido brutales. Aquello que les gusta, con frecuencia desean concederlo sin ceder. Para conquistarla, ruega; ella no desea sino ser cortejada.

Pero, ¡ay!, el profesor de amantes ya no tiene discípulos. El hombre que dio consejos a los hombres y mujeres de su generación carece de alumnos. Porque el amor como lo entiende Ovidio es un refinamiento, un arte, una vocación. Durante siglos hombres y mujeres aprenderán en su *Arte de amar* los sistemas para conquistar. Ellos y ellas, pues en el amor no debe haber poseedores ni poseídos. El amor es darse, fingir a veces, es mezcla de audacia y de timidez. Cada hombre y cada mujer tienen su punto débil que es necesario conocer.

Pero en Tomis llueve y hace frío. Lejos están las adolescentes, apenas púberes, que Ovidio iniciaba en los placeres del amor. Lejos, muy lejos las a veces púdicas matronas que se escandalizaban con los libros de Ovidio pero los leían ávidamente. Lejos también la larga lista de amantes que hicieron del *Arte de amar* su libro de consulta. Llueve en Tomis y llueve en el alma de Ovidio. Hoy, veinte siglos después, las frases del profesor de amantes son válidas todavía. Y en la historia de las Historias de amor su nombre ha de figurar en primera fila.

Año 1217

DE CÓMO SE DEMUESTRA QUE LA CONOCIDA FRASE «LOS AMANTES DE TERUEL, TONTA ELLA Y TONTO ÉL» ES UNA ESTUPIDEZ COMO LA COPA DE UN PINO

LOS AMANTES DE TERUEL

Confieso que siempre tuve por leyenda la historia de los Amantes de Teruel. Me parecía mentira la doble historia romántica, que tenía por conseja y, además, conocía los trabajos de Emilio Cotarelo y Mori sobre el asunto, que a mi entender no ofrecían duda alguna.

Pero cayó en mis manos el magnífico libro de José Luis Sotoca García titulado *Los Amantes de Teruel. La tradición en la historia*, editado en la Colección Aragón de la Librería General de Zaragoza en 1979 y segunda edición en 1987. Después de leer el libro no hay lugar a dudas: la historia de los Amantes de Teruel es relato verídico y auténtico, como lo prueba la gran aportación de documentos y análisis filológicos que el señor Sotoca aporta en su libro.

La historia puede relatarse así siguiendo el llamado «Papel de San Pedro», publicado como anexo tercero en el libro citado.

El suceso acaeció en el año 1217, cuando era juez de Teruel Domingo Celada. Un joven llamado Juan Martínez de Marcilla (más adelante se le llamó Diego, equivocadamente, así como Marsilla en vez de Marcilla, también por error), que tenía veintidós años, se enamoró de Isabel Segura, hija de Pedro Segura; el padre no tenía otra hija y era muy rico. Los jóvenes se amaban desde niños y veíanse continuamente, pues las casas eran vecinas. Ya mayores, el joven dijo que deseaba tomarla por mujer y ella respondió que su deseo era el mismo pero que nunca lo haría sin que su padre y su madre se lo mandasen. Pidió el joven a Pedro Segura la mano de su hija y la respuesta fue que, si bien era de buena familia, no tenía bienes de fortuna, pues era segundón y el padre tenía otros hijos con derecho a la herencia. Pedro Segura añadió que daría a su hija treinta mil sueldos de dote y la casa en que vivía.

El joven dijo a Isabel que pues su padre no le despreciaba sino por el dinero, que esperase cinco años en que él se iría a la guerra, ya por mar ya por tierra, hasta tener el dinero necesario. Ella consintió en el plazo, y Juan se ausentó por espacio de cinco años y luchando contra los moros ganó empleos y dinero.

Durante este tiempo la doncella fue muy acosada por el padre para que tomase marido; la respuesta de ella fue que había votado virginidad hasta los veinte años diciendo que las mujeres no debían casarse sin que pudiesen y supiesen regir su casa. El padre, como quiera que la amaba, la quiso complacer, pero cumplidos los cinco años le dijo:

—Hija mía, es mi deseo que tomes esposo.

Y ella, viendo que los cinco años habían pasado y que en este tiempo nada había sabido del enamorado, decidió obedecer a su padre y éste la desposó con Azagra y a poco tiempo hicieron las bodas.

Los desposorios antes del matrimonio eran cosa corriente y normal en aquellos tiempos, figuraban como sacramental y precedían al auténtico matrimonio y no podían romperse fácilmente. Por otro lado, el nombre de Azagra figura en relaciones posteriores a la auténtica que existía en un papel llamado «De letra antigua», en el que se basaron los siguientes narradores de la historia.

La novia dio en estar de allí en adelante melancólica y pensativa; no trataba ya de nada sino ponerse de negro. Y, por fin, se celebró el matrimonio. A esta sazón entró por la sala donde estaba Segura un paje con un recado y dice que Marcilla el viejo le da noticias de que su hijo viene con salud y muy rico, de lo que tuvieran gran regocijo. Llegó el joven Marcilla a su casa y le dieron la noticia de haberse desposado Isabel; con todo, disimuló delante de su padre porque su gozo no se enturbiase con su pena.

Acostóse Marcilla pero no reposó; dejó la cama y embozado se pasó al convite o danza del casamiento de Isabel y, en cuanto comenzaron los instrumentos a tocar, salió Isabel a danzar pero Marcilla, con más dolor que si viera un cuchillo en su garganta, dando rienda al furor dejó aquel sitio y se metió dentro del aposento que estaba aparejado para el tálamo de los novios, que como la casa andaba tan revuelta lo pudo hacer sin que lo vieran.

Concluye el festín al tiempo que aunque quisiera salir no pudo. Oye que las visitas se van y a su aposento se recogen los novios y queriendo el marido usar del derecho que el matrimonio le concede, Isabel le ruega que se abstenga de ello por aquella noche porque es la única que le falta para cumplir un voto prometido. Azagra insiste pero ella vuelve a negarse replicando que no es justo gozar contra su gusto a ninguna mujer, principalmente siendo la propia, y se lo ruega vertiendo lágrimas y entre sollozos. Acostáronse con eso entrambos juntos y él, de cansado, se quedó dormido mientras ella despierta, aunque estaba casada con Azagra, tenía en su pecho a Marcilla.

Juan, en este punto muy osado y atrevido como amante, salió silenciosamente de detrás de las cortinas y cogiendo a Isabel con entrambas manos le dijo quién era y cómo había llegado allí. Isabel quedó muda de espanto y temor, no sabiendo si gritar o estarse callada, momento que aprovechó Juan diciéndole:

—Escúchame, Isabel, no te espantes que no es mi intento atentar contra tu honor. Tu padre no me quiso por ser pobre y te casas con un hombre rico, pero te digo que es imposible que él te quiera como yo te quiero pues sabes que por ti padezco y muero. Prefiero morir a perderte. Sólo te pido un beso en premio a mi fe y mis servicios por el presente dolor y el bien pasado.

—Te confieso, Juan, que del mismo modo que te amaba te amo ahora, pero puesto que ya me casé ya no soy mía, estoy, aunque no muerta, ya enterrada y no te puedo dar lo que es de otro. Besándote te daría lo que pertenece ya a mi esposo, haciéndole agravio y padeciendo mi castidad.

En este sentido siguió la breve conversación que en voz baja sostenían los dos enamorados, él insistiendo y ella negando, y dando un suspiro Juan dijo:

—Bésame, que sin remedio me muero.

Y negándoselo ella, él dijo:

—Adiós, Isabel.

Y dio consigo en el suelo. Isabel le llama y viendo que no contesta se da cuenta de que no respira y ha muerto. Quedó la muchacha sin habla y sin aliento y llamando a su marido le dice:

—Perdona, estaba soñando que una amiga siendo pequeña quiso bien a un galán y no quisieron sus padres que se casasen por no tener igual hacienda, con lo que él partió a la guerra prometiéndose mi amiga que estaría cinco años esperándole y, sea por lo que fuere, casó con otro, y cumplido el término llegó el galán, que pudo verse con ella a solas antes que el esposo lograse el fruto del matrimonio. Él, desesperado, pidió a mi amiga un solo beso y ella se lo niega diciendo que ha de guardar a su esposo la fe de puro honrada. Por tres veces él se lo suplica y ella firme se lo niega diciendo que antes prefiere morir que faltar a la fe del matrimonio y en diciendo esto ve con espanto que su enamorado cae al suelo entregando su alma a Dios. Esta tragedia vi entre sueños cuando tú oíste las voces que daba, y ahora dime, pues te precias de discreto, si la dama pudiera darle el beso al galán sin faltar a su deber o bien permitir que muriera.

Azagra se rió y le dijo:

—Esta dama fue necia, impertinente y melindrosa sobre ser muy cruel con quien la amaba, y ya que en vida no le dio el beso al galán en peligro de muerte debía darle uno y dos mil de sentimiento. Éste es mi parecer.

A esta respuesta se deshizo Isabel en lágrimas y suspiros y llevándole al lugar donde Marcilla estaba muerto le dijo:

—Yo soy la impertinente, la necia y la melindrosa, pero honrada.

El marido se quedó pasmado viendo un espectáculo tan lastimoso; perplejos no acertaban a resolver el conflicto; por un lado temían la justicia si hallaban el muerto en su casa, por otro lado el temor a que la familia de Marcilla pudiese creer en una muerte alevosa. Al fin se resolvieron a llevarlo y ponerlo delante de la puerta de la casa de su padre, lo que hicieron sin ser vistos pues ambas casas eran vecinas.

Llegó el día y las gentes que por allí pasaban conocieron que era el joven Marcilla el que estaba cadáver frente a su domicilio; avisaron a su padre, que vio a su hijo rodeado de amigos y deudos llorando todos el desgraciado acontecimiento. El padre, sin que nadie lo pudiese estorbar, se arrojó sobre el difunto bañándole con lágrimas el rostro y estando abrazado con él a ambos juntos les entraron en la casa.

Acudió la justicia y también Azagra haciendo ver que no conocía el hecho. Y determinaron todos a hacerle las exequias y darle sepultura y por su alma mil sufragios.

El entierro fue solemne, porque Teruel era entonces plaza de armas en la empresa que el rey don Jaime quería hacer contra los moros de Valencia, y había diez banderas de soldados.

Como la casa estaba próxima a la de Isabel de Segura, ésta oyó el lamentoso canto del entierro y desde una ventana vio al difunto metido en unas andas y un sudor frío le invadió el cuerpo. Presurosamente se despojó de sus galas y vistió un traje monjil de basta tela y bajó apresurada y afligida a la calle y se metió en medio de las mujeres.

La procesión con el cuerpo llegó a la parroquia de San Pedro en donde colocaron el cuerpo de Marcilla sobre un grande túmulo y, empezando el oficio, Isabel, muy cubierta, se llegó a donde estaba el féretro suspirando:

—¿Es posible que estando tú muerto tenga yo vida? No tengas de mi fe duda que pueda vivir un solo punto, perdona mi tardanza que al instante contigo me tendrás.

E inclinándose sobre el difunto le besó en los labios quedando inmóvil. Los asistentes quieren retirarla del féretro y al hacerlo se dan cuenta de que había muerto y reconocen en la mujer difunta a Isabel de Segura.

Azagra, al contemplar el espectáculo, no pudo contenerse y relató lo que había sucedido en su casa la noche anterior y, de acuerdo con la familia de Marcilla, decidieron que supuesto era verdad cierta que Juan e Isabel desde niños se tuvieron entrañable amor y los dos habían muerto de puro enamorados, era razón que se enterrasen los dos en un sepulcro. Lo que hicieron solemnemente.

Esto sucedió en 1217, y el año 1553 —otros dicen que 1555—, siendo Miguel Pérez Arnal juez de la ciudad de Teruel, labrándose una capilla antigua en la iglesia de San Pedro donde estaban sepultados, hallaron sus cuerpos en dos ataúdes o cajones de madera que estaban juntos en una sepultura y enteros «sin casi nada tener gastado de sus cuerpos», según dice el documento contemporáneo. Los cuerpos momificados fueron colocados en una alacena del claustro de la iglesia de San Pedro, siendo trasladados después a un templete diseñado por Lacarrier, en donde permanecieron hasta 1902, cuando colocaron las momias en unos ataúdes donde estaban a la vista del público. Hoy descansan en unos sepulcros debidos a Juan de Avalos.

Esta historia se encuentra casi exactamente narrada en el *Decamerón* de Boccaccio, en el cuento octavo correspondiente a la tercera jornada (en el libro de Sotoca figura como de la cuarta jornada, pero es un error). Decía Cotarelo Mori que en Boccaccio debía encontrarse el origen de esta historia que tenía por fabulosa. El estudio de Sotoca García no deja lugar a dudas de que la influencia fue al revés de como suponía Cotarelo, ya que el cuento de Girolamo e Salvestra pertenece a la primera mitad del siglo XIV, mientras la historia de los Amantes de Teruel tiene su origen como se ha dicho al comienzo del siglo XIII. Es seguro pues que, debido a la enorme influencia política y cultural que el reino de Aragón ejercía sobre Italia, llegase a oídos de Boccaccio la historia de los amantes turolenses y las aprovechase para su libro, aunque no es cosa que pueda probarse absolutamente en estos momentos. Es curioso que Boccaccio inicia el cuento diciendo «Según cuenta la tradición», cosa que no dice apenas en otros lugares del libro. Jaime Caruana, en su libro *Los Amantes de Teruel*, dice que en Boccaccio «todos los detalles concuerdan con la tradición turolense acoplándose con facilidad y resultan forzados en la versión italiana, probando que no es sino una adaptación trasplantada del suceso que no fue bien aquilatada en su impresionante idealismo por el materialista Boccaccio».

Sea como fuere, la historia sentimental y romántica de los Amantes de Teruel debe figurar por derecho propio entre las más bellas historias de amor. Para quien desee conocer más a fondo la verdadera historia de los amantes le recomiendo sin vacilar el magnífico libro de Sotoca mencionado varias veces.

Año 1285

De cómo un amor prohibido puede conducir al mayor tormento o al mayor goce, según se mire

PAOLO Y FRANCESCA: LOS AMANTES DANTESCOS

Uno de los episodios más sentimentales en la historia de la literatura es el narrado por Dante Alighieri en el canto quinto del «Infierno» de la *Divina Comedia.* Dante, acompañado de Virgilio, visita el círculo segundo del Infierno en el que penan los lujuriosos; allí se encuentran, entre otros, con Semíramis reina de Asiria; Dido, fundadora de Cartago; Cleopatra, reina de Egipto; Elena, esposa de Menelao, origen de la guerra de Troya; Aquiles; Paris; Tristán; etc. A la vista de tantos amantes desgraciados, Dante siente su corazón invadido por la piedad y más todavía cuando de pronto se encuentra con Paolo y Francesca estrechamente unidos.

La historia nos viene narrada, o mejor dicho, explicada y ampliada por Boccaccio en su comentario a la *Divina Comedia* escrito en el siglo XIV.

Cuando Dante pregunta a Francesca por qué están en el Infierno, Francesca responde:

> *... Nessun maggior dolore*
> *che ricordarsi del tempo felice*
> *nella miseria...*

(Ningún mayor dolor / que recordar los tiempos felices / en la desgracia.)

Y efectivamente, recordar los buenos momentos en una época desgraciada puede servir de consuelo cuando se espera que volverán; pero cuando la desesperanza se ha apoderado del alma nada peor que recordar la felicidad pasada, ya que, como dijo Byron, «la alegría pasada es pasada, pero el dolor pasado es dolor todavía». Es necesario aceptar el dolor que a veces penetra en rincones de nuestro corazón para que sepamos que existen, aumentando con ello nuestra personalidad.

Malatesta de Verrucchio era señor y tirano de Rímini. Tenía cuatro hijos; el mayor, Giovanni, muchacho inteligente y valiente guerrero, era enano, feo y jorobado y por si fuera poco dotado de mal carácter, tal vez debido a su físico. El segundo, Paolo, era por el contrario hermoso, también valiente y de dulce carácter. Los dos hijos siguientes, Malatestino y Pandolfo, tenían más tendencia a vivir y hablar con Paolo que con Giovanni, más conocido por el sobrenombre de Gianciotto.

El viejo Malatesta buscaba esposa para su hijo mayor, heredero de su señorío y un día Gianciotto se presentó ante él diciendo que en la ciudad de Ravena había encontrado la mujer con la que quería casarse. Se llamaba Francesca y era hija de Guido da Polenta, señor de Ravena. Temiendo que si la petición nacía directamente de Gianciotto fuese rechazada, al contemplar Francesca su repugnante e innoble aspecto, se decidió que fuese Paolo quien realizase el viaje hasta Ravena y pidiese allí la mano de la bella Francesca.

Paolo estaba casado con Orabile Beatrice di Ghiaggiuolo, de la que había tenido dos hijos. Emprendió el viaje, y llegado que hubo a Ravena pidió la mano de Francesca. Boccaccio dice, quizá más como novelista que como historiador, que Francesca creyó que su futuro esposo sería Paolo, pero eso no es verosímil por cuanto no es probable que Paolo dejase pasar una equivocación de tal clase. El caso es que Francesca se prendó de Paolo y éste de ella. En el viaje de vuelta a Rímini el equívoco fue deshecho, pero quedó en el ánimo de los dos jóvenes un sentimiento amoroso pero culpable.

Cuando Francesca vio a Gianciotto creyó morir. ¿Aquel monstruo iba a ser su marido? No podía ser, pero fue. Francesca se casó con Gianciotto y a los nueve meses daba a luz una hija, a la que llamaron Concordia.

Pero si éste era el nombre de la hija, no era precisamente la concordia lo que presidía las relaciones entre los dos esposos. El violento carácter de Gianciotto hacían la vida imposible al matrimonio y Francesca cada vez se sentía más atraída por su cuñado Paolo. Éste, por su parte, intentaba disimular su creciente enamoramiento, pero era en vano.

Para evitar mayores males, el padre, a quien no le había pasado desapercibido el tormento de Paolo, decidió enviarle a guardar la fortaleza Cesenatico, adonde fue acompañado de su esposa; pero ésta, que se aburría en aquel fortín, decidió regresar a Rímini en compañía de su esposo. La ausencia había hecho crecer más todavía el amor de Paolo por Francesca, que se acrecentó al ver cómo Gianciotto la trataba. Temperalmente versátil, a veces la colmaba de caricias y otras la trataba como a una esclava.

Poco a poco Paolo y Francesca se iban uniendo a través de una mirada, de una sonrisa o de un gesto de comprensión. Ninguna palabra de amor se cruzaba entre ellos, pero ambos sabían que estaban enamorados.

Un día se encontraron en el jardín y para distraerse leían un libro que, por casualidad, era la historia de Lanzarote del Lago y de sus amores con la reina Ginebra. Muchas veces la lectura de aquellas aventuras de amor les impulsó a mirarse a los ojos y sintieron que la sangre huía de sus mejillas por efecto de la pasión retenida; pero cuando llegaron al punto en el que Lanzarote se atreve a besar a la reina Ginebra, Paolo, tembloroso, la besó en la boca.

Galeotto fu il libro e chi lo scrisse:
quel giorno più non vi leggemmo avante.

(Galeot fue el libro y quien lo escribió / aquel día no leímos más.)

Galeotto (en castellano llamado muchas veces Galaor) es el caballero que sirve de intermediario en los amores de Lanzarote y la reina Ginebra, y el nombre ha pasado de propio de persona a nombre común para significar en italiano alcahuete o persona que ayuda los amores de los demás. Algo parecido a lo que ha sucedido en castellano con el nombre de Celestina, protagonista de la *Tragicomedia de Calisto y Melibea,* que ha pasado a significar cualquier alcahueta o tercera en amores clandestinos.

En este momento les sorprendió Gianciotto, el cual, desenvainando su espada, les mató a los dos. Por esto Dante los coloca en el Infierno, ya que no tuvieron tiempo de arrepentirse, pero siente por ellos una piedad tan grande que termina el canto diciendo:

Mentre che l'uno spirto questo disse,
l'altro piangea, sì che di pietade

io venni men così com'io morisse;
e caddi come corpo morto cade.

(Mientras que un espíritu esto decía / el otro lloraba de modo que de piedad / me vino algo así como si muriese / y caí como cae un cuerpo muerto.)

Francesca, como la ha concebido Dante, es más viva y verdadera que no la pueda mostrar la historia. Tal vez ésta haya sido inventada por Boccaccio y no corresponda a la realidad, pero Francesca es la primera mujer viva y verdadera aparecida en el horizonte poético de los tiempos modernos. No tiene Francesca ninguna característica vulgar o malvada, como odio, rencor o despecho, tampoco ninguna especial característica de bondad; parece que en su ánimo no pudiera existir otro sentimiento que el amor. Éste es su felicidad y su miseria. Esta omnipotencia y fatalidad de la pasión que se apodera de toda el alma y la lleva hacia el amado con plena conciencia de la culpa, que es lo que caracteriza su amor.

Dante muestra hacia la pareja simpatía, admiración y afecto. No duda de que son pecadores y por ello los coloca en el Infierno y no se sabe qué admirar más en este canto de su inmortal poema, si el amor de los protagonistas o la piedad del narrador.

Pero una pregunta me ha asaltado siempre, desde que en mi adolescencia leí las páginas de la *Divina Comedia.* Si Paolo y Francesca se amaban profundamente, si estaban juntos por toda la eternidad, ¿cómo podían creer que estaban en el Infierno?

Año 1355

De cómo un insensato amor puede conducir a una tragedia política

MARINO FALIERO, DUX DE VENECIA

A veces es difícil separar en un relato lo que hay de histórico y lo que hay de novelesco. Cuando existen varias versiones de un mismo hecho, especialmente cuando éste se desarrolla no en un momento sino en un lapso de tiempo más o menos grande, o cuando en él interfieren pasiones políticas, odios, amores y secretos de Estado, entonces es más difícil que nunca deslindar lo puramente histórico del elemento romántico que se le ha añadido a través de generaciones.

En 1354 moría en Venecia el dux Andrea Dandolo y fue elegido como su sucesor el patricio Marino Faliero, que se encontraba entonces lejos de la ciudad. Fue avisado por un correo que se desplazó a Avignon en donde ejercía el cargo de embajador de la Serenísima cerca del Papa, que residía entonces en la ciudad francesa.

Faliero tenía setenta y seis años y desde hacía dos estaba casado con una mujer cuarenta años más joven que él. El nuevo dux, en su viaje de regreso a Venecia, unía así la satisfacción de su nombramiento, el más alto de la poderosa Perla del Adriático, con la de volver a reunirse con su bella esposa, de la que hacía un año estaba separado en razón de su cargo de embajador.

Se dice que la noche de su llegada a Venecia pesaba sobre la ciudad una niebla espesísima que impedía la vista a pocos metros de distancia; se afirma que, a causa de ello, la barca que llevaba al nuevo dux al embarcadero equivocó el rumbo dejando al primer magistrado en la piazzeta de

San Marcos en lugar de hacerlo en el puesto convenido. Ignorante del punto exacto en que estaba, Faliero subió los escalones y penetró en la piazzeta, haciéndolo con tan mala suerte que, sin darse cuenta, pasó entre las dos columnas que allí existen todavía, una rematada con el león de San Marcos y la otra con la imagen de san Teodoro, lo cual se tomó como mal agüero puesto que en aquel espacio se ejecutaban las sentencias de muerte.

Pasado el primer momento de estupor, los magistrados de la ciudad que formaban el Gran Consejo y la multitud que esperaba al nuevo dux le aclamaron con entusiasmo.

Entre las personas que le esperaban figuraba en lugar destacado su esposa, la nueva dogaresa Ludovica.

Aquí empieza la parte novelesca que se entremezcla inextricablemente con la historia oficial. Se dice que de la bella dogaresa estaba enamorado un patricio llamado Michele Steno. Este patricio realmente existió, pero su amor por Ludovica no está probado.

El caso es que Marino Faliero se encontraba en Venecia con una serie de problemas derivados de la situación política y de su guerra con Génova. Hacía años que las dos ciudades, rivales en el dominio de los mares, luchaban por la posesión de los consulados que tenían en el próximo Oriente. Un año antes de la toma de posesión de poder de Faliero la flota veneciana, a las órdenes de Nicolo Pisani, había derrotado a los barcos genoveses mandados por el almirante Grimaldi en la batalla naval de Lojera, en las costas de Cerdeña. Génova había encargado a Pietro Doria el vengar la derrota, lo que hizo éste entrando en el Adriático y saqueando Lescina, Curzola y Parenzo, mientras por su parte Venecia había encargado al gran poeta Petrarca que buscase la paz negociando con el embajador genovés en Avignon. El miedo a la flota genovesa fue tan grande en Venecia que desde entonces se colocó una gran cadena de hierro que cerraba el paso a los barcos que desde el mar entraban en la Laguna pasando por el pequeño estrecho del Lido. Esta cadena se retiraba hundiéndola en el agua durante el día y elevándola, cerrando el paso, durante la noche y en los días de poca visibilidad.

A todo eso, haciendo caso omiso de la dignidad del dux, Michele Steno, cada vez más enamorado de Ludovica, se mostraba cada vez más impertinente. La acosaba de tal forma que la dogaresa no se atrevía a salir de palacio sino para ir a San Marcos a oír misa y cumplir sus deberes religiosos. Y como la catedral está adosada al palacio ducal, el trayecto era demasiado corto para que Steno pudiese intentar aproximarse discretamente a la dama de sus sueños.

Pero en esto llegó el Carnaval, tradición intocable en Venecia, y que se organizó aquel año haciendo caso omiso de la derrota que la flota veneciana había sufrido a manos de los genoveses en Portolungo y en la que cinco mil marineros venecianos habían sido hechos prisioneros.

En uno de los bailes celebrados en el palacio ducal, Michele Steno, aprovechando el antifaz que le cubría el rostro, se acercó a Ludovica Faliero y quiso aprovecharse de ella. Ante la resistencia de la dogaresa, que llamó en su auxilio a unas damas que cerca de ella estaban, Michele Steno huyó, pero antes grabó con su puñal en el trono del dux unos versos insultantes para Ludovica.

Al enterarse de ello, Marino Faliero interrogó a su esposa, que no tuvo más remedio que informarle del acoso que estaba sufriendo por parte de Michele Steno.

Indignado el dux, hizo prender al joven patricio, que fue encerrado en el calabozo. Aquella misma noche se reunió el tribunal de la Quarantia para juzgarle. Faliero esperaba una condena a muerte o a prisión perpetua, pues el caso era grave tratándose de un insulto directo al dux, pero los miembros del tribunal eran todos patricios parientes o amigos del acusado, al que condenaron sólo a un año de prisión.

El dux se indignó con razón y Ludovica creyó morir de vergüenza por cuanto su nombre andaba ya en todas las bocas, prestas siempre a la murmuración insidiosa.

Cuando Faliero rumiaba todavía su rabia, le visitó el almirante comandante del arsenal, Stefano Ghiazza, que se quejó al dux de la actitud de un rico patricio, Marco Barbaro, que le había ofendido de palabra y obra, y le pidió justicia.

—¿Cómo quieres obtener justicia si yo, el dux, no la he podido obtener? Ya has visto que el tribunal de la Quarantia es un clan formado por patricios que se apoyan unos a otros.

—Demasiada gente manda en Venecia —dijo Ghiazza—. Es necesario hacer un escarmiento. El que manda debe ser obedecido.

—Es fácil decirlo, pero ¿cómo hacerlo?

—Tengo gente dispuesta a ello. Si tú quieres no habrá en Venecia otro poder que el del dux.

Tal vez por razones políticas, quizá con el ansia de vengar el honor ofendido de su esposa, Marino Faliero formó parte de una conjura para eliminar el poder de los patricios de la Quarantia. No dijo nada a su esposa para no preocuparla.

Se fijó el golpe de estado para el día quince de abril. Los conjurados eran tres patricios, el arquitecto de Palacio, unos cuantos militares y unos pocos mercaderes.

Uno de éstos, un marchante de pieles llamado Beltramme, quiso salvar a un patricio, Nicolo Lion, al que debía muchos favores, y le sugirió que al día siguiente no acudiese a la reunión del gran Consejo. Extrañado Lion, acosó a preguntas a Beltramme, quien acabó confesando toda la conjura.

La reacción de la Quarantia cuando se enteró de la conjura fue fulminante. Se reunió el Consejo de los Diez, y ordenó al capitán de la guardia ducal que arrestase al dux; inmediatamente se reunió el Consejo de los Diez, que condenó en el acto a Marino Faliero, dux de la Serenísima República de Venecia, a ser decapitado.

La sentencia se cumplió al alba del día siguiente. Marino Faliero, que había escuchado impávido la sentencia, fue conducido al rellano de la escalera principal del palacio, donde le esperaba el verdugo.

Fue desposeído del manto de oro y del *corno*, símbolo de su dignidad ducal; el primero fue sustituido por un manto negro, y con la cabeza descubierta se arrodilló y rezó por su alma. Encomendó a Dios a su esposa Ludovica, de la que no le permitieron despedirse. El verdugo levantó el hacha y la cabeza del dux rodó por el suelo.

Un miembro del Consejo de los Diez la cogió por los cabellos y la mostró al pueblo que se había congregado en la piazza de San Marcos atraída por el movimiento de soldados.

—¡El traidor ha sido ejecutado! ¡Venecia ha hecho justicia!

Los soldados entraron en los apartamentos ducales. Sin permitir que Ludovica cogiese ni siquiera un manto, casi a rastras la expulsaron de palacio. Tuvo que pasar por el lugar donde yacía el cadáver decapitado de su marido. Sus ojos se abrieron y de su boca surgió un grito ininteligible.

Manos piadosas la acompañaron hasta el palacio familiar situado en el Canal Grande y allí, sin salir de él, pasó el resto de su vida hundiéndose cada vez más en los abismos de la locura, hasta que perdió por completo la razón.

Michele Steno fue liberado; se dio cuenta entonces de lo que su insensato amor había provocado. Continuaba enamorado de Ludovica y, arrepentido de lo que había hecho, sin acercarse al palacio donde ella vivía, cuidó de la ex dogaresa hasta su muerte.

Continuaba estando enamorado y entonces vio que muchas veces el amor no consiste en conquistar sino en sacrificarse. Parece que no tuvo otro amor más que el que conservaba a Ludovica. Consagró su vida al servicio de Ludovica y de Venecia. Intentó rehabilitar el nombre de Marino Faliero, pero no lo consiguió. Cuando murió Ludovica se vistió de luto.

A los sesenta y ocho años fue elegido dux de Venecia y para ser proclamado tuvo que subir las escaleras de palacio y pasar por el rellano en donde había sido decapitado Marino Faliero. No pudo reprimir un estremecimiento.

Hoy en día, cuando el turista visita en Venecia el palacio de los dux, en la sala del Gran Consejo admira los retratos de los diversos dux allí representados. Entre ellos hay un espacio en que, sobre un velo negro, se leen estas palabras:

Hic est locus Marini Faletri decapitati pro criminibus.

(Éste es el lugar de Marino Faliero, decapitado por sus crímenes.)

Que tuvieron lugar a consecuencia de un amor criminal.

Año 1357

De cómo una historia de amor se convierte en una suma de crueldades con un final emotivo

REINAR DESPUÉS DE MORIR

Con este mismo título, tomado de una comedia de Guevara, publiqué en las páginas 178 y 179 de la cuarta serie de mis *Historias de la Historia* un pequeño resumen de este episodio atroz de la historia de Portugal. Amplío hoy aquel relato porque creo que vale la pena.

Cuando el infante don Pedro de Portugal —hijo del rey Alfonso IV y de Beatriz, hija del rey de Castilla Sancho IV—, cumplió ocho años, en 1328, se convino su matrimonio con la infanta Blanca de Castilla, su prima, pero era ésta muchacha enfermiza que no aseguraba la posibilidad de un matrimonio futuro, por lo que se deshizo el contrato. Más adelante el infante don Manuel, que regía el reino de Castilla, concertó el enlace de don Pedro con su hija Constanza, cosa de la que luego se arrepintió por el comportamiento del rey castellano. A causa de ello estalló la guerra entre Castilla y Portugal.

En 1340 se hicieron las paces y se celebró el matrimonio. En la comitiva de doña Constanza figuraba una bellísima joven llamada Inés de Castro. El matrimonio de Pedro, hecho por conveniencias políticas, hubiese sido un desastre total si no fuese que él siempre trató a su esposa con respeto y afecto.

Pedro, sin embargo, se enamoró de Inés de Castro. Esto no hubiese tenido mayor importancia si no fuese por el hecho de que no se trataba de un amor pasajero, sino de un profundo enamoramiento. De no ser así el episodio no hubiese pasado de ser uno de tantos como se leen en las historias en los que un soberano o un gran señor sostiene a la vez relaciones con su esposa y amores adúlteros.

Don Pedro, aun tratando con gran respeto a su esposa, como he dicho, no pudo dejar de sentir por Inés de Castro un amor auténtico que en nada se parecía al respeto que ofrecía a su esposa. Tanto fue así que incluso se dijo que la reina miraba con comprensión los amores de su marido con Inés. Pero éstos eran demasiado fuertes para que no incidiesen no sólo en las relaciones familiares, sino también en las políticas. Por lo que respecta a lo primero, la reina Constanza, que comprendió como nadie la situación sentimental de su marido, hizo que Inés fuese la madrina de su primer hijo, con lo que contraía un parentesco espiritual con don Pedro. Pero éste continuó su vida con Inés, hasta el punto que le dio tres hijos.

En 1345, cinco años después de su matrimonio, moría la reina. Pedro, que la lloró amargamente con sinceridad, pues nunca dejó de reconocer y agradecer su comprensión, decidió legalizar su situación casándose con su amante, a lo que se opusieron los nobles del rey Alfonso IV por temor que los Fernández de Castro, cuyo jefe de familia, Pedro, era el padre de doña Inés y jefe de una familia poderosa, quisiese que su hija fuese reina de Portugal. No se olvide que Inés era hija bastarda de don Pedro Fernández de Castro y de doña Aldonza Soares de Valladares. Aunque bien es verdad que en esta ocasión se hizo de la bastardía una cuestión de honor, cuando a lo largo de la historia ello no tuvo las más de las veces ninguna importancia, ni tampoco lo tendría más adelante.

Nueve años duró esta situación hasta que, al cabo de ellos, don Pedro quiso legalizar definitivamente su situación casándose con doña Inés. Unos historiadores dicen que quien bendijo la unión fue el obispo de Guarda, otros que el de Lisboa. El caso es que la unión se dio por hecha pero sin que se haya encontrado ningún documento que lo justifique. Ello empeoraba la situación pues no aclaraba los derechos que pudieran tener en adelante doña Inés y los hijos que había tenido con don Pedro.

La situación se hacía cada vez más complicada. El rey Alfonso IV, padre de don Pedro, temía que, obcecado por su amor, éste transmitiese el reino a uno de los hijos tenidos con doña Inés, cosa que también temían los nobles más importantes de Portugal. Un año después del matrimonio de don Pedro, si es que éste existió realmente, pues ya he dicho que no hay prueba fehaciente de ello, el rey, agitado entre el deseo de asegurar el trono a su nieto, el hijo de doña Constanza, y el deseo de acabar de una vez con tal situación, se decidió, a instancias de algunos nobles, a dar orden de que se asesinase a doña Inés.

Para ello encargó a tres cortesanos suyos llamados Pedro Coelho, Diego Lopes Pacheco y Álvaro González o Gonçalves para que con él fuesen a Coimbra donde estaba doña Inés. Entró primero el rey en la cámara donde ella estaba y, al salir, hizo una señal a sus tres sicarios, los cuales, entrando a su vez en la habitación con las espadas desenvainadas, mataron a la pobre infeliz y salieron luego a todo correr de sus caballos hacia Lisboa.

La reacción de don Pedro no se hizo esperar. Loco de rabia, se rebeló contra su padre y durante algún tiempo los partidarios del rey y los del príncipe lucharon encarnizadamente. La esposa de Alfonso y madre de Pedro intercedió muchas veces para que cesase la lucha, consiguiéndolo al fin, aunque en realidad de manera precaria. La paz duró hasta la muerte del rey Alfonso.

Al subir al trono con el nombre de Pedro I, lo primero que pensó fue en la venganza, pero los asesinos de su esposa habían huido a Castilla, en donde reinaba otro Pedro, llamado el Cruel o Justiciero, que comprendió tanto más la cólera de don Pedro cuanto que él mismo estaba enamorado de doña María de Padilla. Por otra parte, en Portugal se habían refugiado unos enemigos del rey castellano, por lo que se convino en intercambiar los prisioneros. Por lo que se ve, el canje de presos no es cosa de nuestros días. Se dijo entonces que «se habían cambiado unos burros por otros burros».

Sólo fueron entregados Pedro Coelho y Álvaro González, pues Diego Lopes, temeroso de lo que podía pasar, se había escapado de Castilla para ir a ponerse a las órdenes de Enrique de Trastámara, hermano bastardo de Pedro de Castilla, con quien estaba en lucha.

Lo que sigue es tan horrible que prefiero dejar la palabra a un escritor portugués, Antero de Figueiredo, en su obra *D. Pedro e D. Inês.*

En el palacio real de Santarem, don Pedro esperaba impaciente la llegada de los criminales hidalgos. Una tarde llegaron los presos. Don Pedro, que los esperaba, tenía un banquete, pero en cuanto recibió el aviso se levantó de la mesa con la boca llena masticando la carne y bajó corriendo a su encuentro escaleras abajo. En la plaza, en medio del pueblo curioso, se encontraban Álvaro Gonçalves y Pedro Coelho exhaustos, envejecidos, cubiertos de polvo, atadas las manos, con una cuerda al cuello. Don Pedro, no viendo a Pacheco y sabiendo instantes después por qué no venía, se mordía los dedos de rabia, pero luego, volviendo a mirar a los presos, empezó a carcajearse a guisa de contentamiento y escarnio, gesticulando desordenadamente, batiendo palmas, saltando ante ellos. Quería hablar y no podía. Espantosa explosión de epiléptica alegría de un apasionado corazón vengativo que día a día, hora a hora, minuto a minuto, durante años estuvo suspirando por este feliz momento de feroz desquite.

De pie, cubiertos de polvo, con los vestidos desgarrados y andrajosos, las caras terrosas, de pie, los hidalgos portugueses esperaban altivos mirando fijamente a los ojos del rey sin bajar la vista.

—¡Asesinos!

Y empezó a hacer preguntas gritando atropelladamente.

—¿Por qué matasteis a Inés? ¿Quién más entró en la conjura? ¿Quién más? ¿Qué era lo que mi padre tramaba contra mí? ¿Dónde? ¿Por qué? ¡Asesinos, vamos, quiero saber quién me la mató! ¡Los nombres, los nombres!

De pie, los hidalgos miraban al rey con supremo orgullo, con la serenidad de quien está completamente seguro de haber cumplido con su deber. No respondían. Era inútil que don Pedro les retorciera los brazos o les apretara la garganta con dedos de hierro para obligarlos a responder. Cada vez más rabioso, con la boca llena de espuma, repetía a gritos las preguntas:

—¿Quién más? ¿Quién más? Los nombres, los nombres.

Escupía las palabras y escupía a la cara de los presos. Coelho cubrió de insultos al rey.

—¡Cobarde! ¡Carnicero de hombres! ¡Villano ruin! ¡Perjuro! ¡Hijo rebelde! ¡Que la lepra de la maldición te pudra! ¡Excomulgado! ¡Cobarde!

—¡Cobarde tú! ¡Cobardes vosotros, villanos, que no os batisteis conmigo, un hombre, cara a cara como un caballero, sino que asesinasteis a una mujer como cobardes!

Los otros gritaban:

—¡Villano, villano!

Don Pedro, radiante de verlos sufrir, reía a carcajadas saboreando el infinito placer de prolongarles el dolor. De repente, encolerizado, también comenzó a gritar:

—¡Calla, miserable Coelho, que te voy a desollar vivo! ¿Qué sabor tiene tu corazón? ¿Sabrá a conejo de monte? [1]

Y a grandes carcajadas don Pedro repetía la gracia del conejo de monte.

1. *Coelho* significa en castellano conejo.

—Quiero comerme estos corazones, quiero morderlos.

Y mandó que a uno por la espalda y a otro por el pecho les sacasen los corazones para tenerlos en sus manos. Los soldados desnudaron de cintura para arriba a Coelho y a Gonçalves. A cuchilladas le abrieron a uno el pecho mientras decía:

—¡Villano, míralo bien, que has de encontrar aquí dentro un corazón fuerte como el de un toro y leal como el de un caballo!

Y murió gritando. A su lado, de bruces, agonizaba Gonçalves.

—Traedme los corazones —gritaba el rey.

Y cogiéndolos con las manos se los llevó a la boca mordiéndolos con fruición. La sangre le corría por la barba mientras restos de las vísceras aparecían en las comisuras de los labios.

—¡Villanos y asesinos! —gritaba mientras mordía.

Lanzó al suelo los trozos de corazón que no había comido y ordenó:

—Que lo quemen todo y aventen las cenizas.

Y así se hizo.

Satisfecha así, en parte, la venganza, porque uno de los asesinos había escapado, don Pedro quiso rehabilitar la imagen de la mujer amada. Para ello fue a Coimbra e hizo desenterrar el cadáver de Inés, medio podrido y medio momificado; besó el rey la boca sin labios de la muerta e hizo que en un ataúd de madera preciosa fuese conducido a palacio.

Una vez allá organizó un espectáculo escalofriante. En el salón del trono se dispuso un estrado cubierto por un dosel, bajo el cual había dos tronos; en uno se sentó el rey, en el otro hizo depositar el rígido cadáver de doña Inés vestido con las mejores galas que pudo encontrar. La cabeza cubierta con un espeso velo escondía las cuencas sin ojos y los dientes brillantes sin labios de la difunta. Una mano fue colocada, casi descarnada y corroída, sobre lo que había sido la rodilla de doña Inés. Cuando todo estuvo instalado empezó la ceremonia.

Sentado el rey en su trono, teniendo a su derecha el trono de doña Inés y en presencia del príncipe heredero, los cortesanos fueron pasando uno a uno ante el cadáver y besándole la descarnada mano. Un gran silencio invadía la estancia, sólo alterado por el ruido de los pasos. En silencio, sin atreverse a levantar los ojos al rey, los cortesanos desfilaron rindiendo honores reales al cadáver de doña Inés, sobre cuya cabeza brillaba la corona. El rey, también silencioso, observaba el desfile intentando adivinar un movimiento de rechazo en alguno de los cortesanos. Pero no lo hubo. En parte por miedo, en parte por respeto al rey y en parte por admiración al amor profundo que representaba el acto, uno a uno los hombres de la corte besaron la mano de doña Inés. Siguieron las damas y cuando el acto acabó sonó la voz del rey:

—Y ahora la reina será enterrada en la tumba real que le he preparado.

Al día siguiente se formó el cortejo. Tenía que caminar las diecisiete leguas que separan Coimbra de Alcobaça. Presidía el rey con sus amigos el conde de Barcelos, el prior del Hopital, el canciller mayor, los grandes maestres de Cristo y de Santiago. Seguían en sus mulas el arzobispo de Braga y los obispos de Oporto, de Lisboa, de Viseu y el abad de Alcobaça, el alto clero, grandes personajes de la corte, personajes principales, damas y doncellas.

Después, entre los infantes don Juan y don Dionis, cabalgaba con gallardía don Fernando, heredero del trono. Seguían un grupo de soldados y la enorme masa del pueblo, hombres y mujeres vestidos de luto. No hablaban pero en sus miradas se leía la admiración por aquella muestra de amor. El cortejo, por su orden y autoridad, parecía una larga y lúgubre procesión.

En Coimbra, las campanas de la seo vieja de Santa Cruz, San Bartolomé y Santa Ana y Santo Domingo tocaban a muerto sin parar. Cuando dejaron de oírse fueron sustituidas por las campanas de las iglesias de los pueblos del recorrido.

En lo alto del monte, don Pedro miró hacia atrás, hacia la Coimbra en la que tan feliz había sido. El río Mondego brillaba como entonces, como cuando paseaba en sus orillas al lado de doña Inés. Multitud de recuerdos asaltaron su mente, pero pronto tuvo que volver a la realidad. Estaba ahora con doña Inés, pero en su entierro.

Poco a poco, despacio, la comitiva fue acercándose a Alcobaça. Por un lado, don Pedro deseaba llegar al monasterio para ofrecer a su amada el sepulcro real que había imaginado, por otro lado aquello significaba el adiós para siempre.

¿Para siempre?

No, para siempre no. Don Pedro creía en la resurrección de la carne, estaba seguro de que se encontrarían en el más allá, y para ello hizo labrar dos tumbas encaradas una frente a la otra de tal forma que, como dijo el rey, «el día del Juicio Final, cuando resuciten los cuerpos y se incorporen de sus sepulcros, lo primero que verán los ojos de ambos será el rostro del ser amado».

Hoy, las tumbas de Alcobaça son, como las de Romeo y Julieta en Verona, objeto de peregrinación de enamorados de todo el mundo. Pero las tumbas de Alcobaça son auténticas.

Reinó don Pedro diez años, durante los cuales no se le conoció ningún amorío, y murió a los treinta y siete años de edad.

Año 1555

De cómo una locura, si se llama de amor, puede parecer menos locura y servir de pretexto a varias interpretaciones

JUANA LA LOCA, ¿LOCURA DE AMOR O DE CELOS?

Cuando en España se habla de «locura de amor» se piensa en seguida en Juana la Loca, en el drama de Tamayo y Baus o en la película de Juan de Orduña con el mismo título que el drama y basada en éste.

Pero la locura de Juana la Loca no fue locura de amor sino de celos, que es muy distinto.

Vulgarmente se dice de un hombre o de una mujer que está loco de amor, lo cual muchas veces no significa más que está haciendo tonterías por el ser que se supone amado. Desengañémonos, el amor que no razona no es amor, sino ilusión. No está enamorado aquel que dice: «esta mujer no tiene defectos», porque todo el mundo los tiene, y si no los ve es que es tonto. Tampoco está enamorado, ni mucho menos, aquel que dice: «esta mujer tiene defectos, pero hasta los defectos me gustan»; éste es tonto con rebaba, porque los defectos no pueden gustar a nadie que esté en sus cabales. El verdadero enamorado es aquel que dice: «Esta mujer tiene defectos, que no me gustan, pero a pesar de ello la quiero.»

En alguno de mis libros he dicho que los celos son producto de un sentimiento de inferioridad pues quien los sufre cree que algo, o alguien superior a él, puede arrebatarle el objeto de su amor. El celoso es un mártir que martiriza a otro. Pero lo curioso del caso es que, a mi entender, existen dos clases de celos: los personales y los sociales. Llamo personales a los celos que se ceban en una persona con independencia del ambiente en que se desenvuelve. Es el complejo de inferioridad al que me refería antes. Celos sociales son aquellos que vienen dados precisamente por el ambiente social en que se desarrollan. En España tenemos ejemplos sobresalientes de ellos en los dramas calderonianos, en los que el celoso actúa impulsado por un sentido social del honor, por el «qué dirán», más que por el convencimiento de una traición y más aún a sabiendas de que no existe.

Soy amigo de un matrimonio en el que el marido, natural de una determinada región española, actúa en forma muy diversa cuando se encuentra en Barcelona, de donde es su mujer, que cuando se halla en la capital de donde él es natural. En el primer caso la mujer goza de una natural libertad, en el segundo debe someterse a unas costumbres casi morunas. Y sólo por el «qué dirán».

Los historiadores se hallan bastantes desacordes al juzgar la locura de doña Juana. La historiografía romántica habla de locura de amor. Más adelante los historiadores se han dividido entre los que apuntan a una enfermedad mental producida por los celos y los que creen que dicha enfermedad fue producida, o por lo menos exagerada, por cuestiones políticas y para arrebatar el poder a la infeliz reina.

Doña Juana había nacido el 6 de noviembre de 1479 en el viejo Alcázar de Toledo. Se le impuso el nombre de Juana en recuerdo de su abuela Juana Enríquez, madre del Rey Católico don Fernando, a la que llegó a parecerse tanto que, en broma, la reina Isabel la llamaba *suegra* y don Fernando *madre*.

No era bonita, pero, según los retratos de Juan de Flandes, tenía un rostro ovalado muy fino, ojos bonitos y un poco rasgados, el cabello fino y castaño, lo que la hacía muy atractiva. Se conservan dos retratos hechos por el mismo pintor, uno en la colección del barón Thyssen-Bornemisza, en que aparece vestida muy pacatamente, tal como correspondía al ambiente de la corte española. El otro, actualmente en el Museo de Viena, la muestra ya provista de un generoso escote, tal como correspondía al ambiente más liberal de la corte borgoñona. Este último fue realizado, naturalmente, cuando doña Juana ya estaba en Flandes después de su casamiento.

Desde pequeña dio muestras de tener un carácter muy extremado. Educada piadosamente, a veces dormía en el suelo o se flagelaba siguiendo las historias de los santos que le contaban. Como es lógico, sus padres y sus educadores procuraban frenar estas tendencias extremas. Por otra parte aprendió no sólo a leer y a escribir, sino que tuvo una educación esmerada y a los quince años leía y hablaba correctamente el francés y el latín, no en balde había tenido como maestra en esta última lengua a la conocida Beatriz Galindo, llamada *la Latina,* fundadora del convento que después dio su nombre a un conocido barrio de Madrid.

A los dieciséis años los Reyes Católicos casaron a su hija con el archiduque Felipe de Austria, hijo del emperador Maximiliano I de Alemania y de la duquesa María de Borgoña, y soberano de Flandes por fallecimiento de su madre.

El 22 de agosto de 1496 salía de Laredo una flota de ciento veinte barcos con una pequeña corte y un ejército de quince mil hombres; era el séquito que llevaba doña Juana al partir hacia Flandes, a donde llega días después. Sólo había visto a su prometido en un retrato, del ya citado Juan de Flandes, que había sido enviado a la corte española.

A Felipe se le conoce con el sobrenombre de *el Hermoso,* aunque más parece seguro que este apodo se lo pusiesen posteriormente. Según nuestros cánones actuales de belleza, no nos lo parece en absoluto, pero algún atractivo debía tener cuando al verse, cuatro días antes del fijado para la boda, los dos futuros esposos se gustaron tanto que, no pudiendo esperar, llamaron al sacerdote para que los casase allí mismo y aquella misma noche pudiesen consumar el matrimonio.

En contraste con doña Juana, don Felipe, que contaba un año más que ella, había sido educado en un ambiente más liberal. Había tenido varias aventuras, si no sentimentales por lo menos sexuales, y no pareció que el matrimonio le reprimiese sus impulsos, lo que provocó, desde los primeros momentos, escenas de celos, peleas y recriminaciones. Al parecer, doña Juana se sintió herida en su amor y aún más en su amor propio, que muchas veces se transforma en amor propietario.

No dejó don Felipe de mantener contactos sexuales con su mujer, por lo menos sabemos que le dio seis hijos, pero, vanidoso y frívolo, alternaba sus deberes conyugales con escarceos ilícitos.

El 24 de febrero de 1500 doña Juana se encontraba en una fiesta; a pesar de hallarse encinta, no quería dejar de asistir a los saraos a los que acudía su esposo, para espiarle constantemente. En medio de la fiesta y el bullicio se le presentaron los dolores del parto; sus damas la retiraron a una habitación en la que había el sillico destinado a ciertos menesteres íntimos y allí, en un retrete, dio a luz al príncipe Carlos, que luego sería el rey Carlos I de España y emperador V de Alemania.

En diciembre de 1501 doña Juana y don Felipe salieron de Flandes con destino a España, en donde, por fallecimiento de otros hijos de los Reyes Católicos, tenían que ser proclamados en España príncipes de Asturias y herederos del trono. Un mes después llegaron a Fuenterrabía y, pasando por Burgos, Valladolid y Madrid, llegaron a Toledo, donde se encontraron con los Reyes Católicos. El 22 de mayo se reunieron las Cortes y doña Juana y don Felipe fueron jurados como príncipes de Asturias. Posteriormente pasaron a la Corona de Aragón donde, no sin ciertas dificultades, fueron proclamados herederos y príncipes de Gerona.

Las relaciones entre los príncipes y los Reyes Católicos no eran fáciles, tanto por la forma como por el fondo. En lo que se refiere a lo primero, doña Juana había de servir de intérprete pues don Felipe ignoraba el castellano y don Felipe y doña Isabel no conocían el francés. En lo que se refiere a fondo, tampoco congeniaron. Don Felipe, vanidoso y ostentoso, chocaba en el ambiente sencillo y hogareño de la corte castellana.

Juan Antonio Vallejo-Nágera, en su magnífico libro *Locos egregios*, llama la atención sobre el hecho de que ya entonces daba doña Juana muestras de alteración psíquica. Que los médicos llamaron melancolía.

«Si hubiera resultado evidente para su entorno que la melancolía derivaba primariamente de la separación del esposo, así lo hubieran advertido los médicos. Esta interpretación, ahora siempre presente, sólo aparece después formando parte de la leyenda. Tampoco los síntomas son de una "depresión reactiva", sino que aparecen coloreados del embotamiento afectivo esquizofreniforme del que ya tuvo atisbos cuatro años antes. Los médicos de cámara Soto y Gutiérrez de Toledo los describen así: "Algunas veces no quiere hablar; otras, da muestras de estar 'transportada'... días y noches recostada en un almohadón con la mirada fija en el vacío."»

Sale con doña Isabel hacia Segovia y allí continúan las anormalidades. Pasa noches en vela y días enteros sin comer, para hacerlo de pronto vorazmente. Alterna la inmovilidad del «transporte» con arrebatos inesperados de ira en los que nadie osa contrariarla.

A su madre le parece clara la posibilidad de una pérdida permanente de la razón. No se explica de otro modo que a poco de marchar don Felipe presente a las Cortes de Castilla el proyecto de ley en que hace constar la significativa salvedad de que si doña Juana se encontrara ausente o mal dispuesta O INCAPAZ DE EJERCER EN PERSONA las funciones reales, ejercería la regencia su padre don Fernando.

En 1503 la princesa doña Juana da a luz un hijo que se llamó Fernando y que después fue emperador de Alemania. Don Felipe quiere regresar a Flandes, donde se divierte mucho más que en España. Doña Juana se transtornó hasta tal punto que, según palabras de González Doria, «al ver partir a su esposo cayó en estado de desesperación. Trasladados los reyes con su hija y su nieto Fernando a Medina del Campo, pronto dio en pensar doña Juana que podía aún alcanzar al marido antes de que embarcara si corría tras él por cualquier camino, y pensarlo e intentarlo fue todo uno. Tal y como se encontraba en el lecho, descalza y sin ropa de abrigo, echó a andar por los corredores del castillo de la Mota. La detuvo el obispo de Córdoba, que estaba encargado de su custodia esa noche; la princesa forcejeaba con él y el prelado ordenó se avisase a la reina en vista de que doña Juana se resistía a abandonar la plaza de armas de la fortaleza, hasta donde había conseguido llegar pretendiendo que alzaran los guardias el rastrillo y le franquearan el puente levadizo. Estaba doña Isabel I indispuesta aquel día y se había retirado temprano a descansar, pero a pesar de ello acudió a la llamada del obispo y no sin trabajo pudo reducir a su hija, si bien escuchó de ésta insolentes palabras *que jamás las habría tolerado si no oviese conocido su estado mental*, según refería la propia doña Isabel en carta dirigida a su embajador en Bruselas».

La escena fue terrible porque Juana rechazaba airada a las damas de la corte y a la servidumbre y sacudía los barrotes de las rejas. No consiguieron vestirla; pasó al raso aquella fría noche de noviembre y el otro día. A la noche siguiente encendieron una gran hoguera en el patio, a la que se acercó algunas veces aterida de frío. La Reina Católica pensó en su madre, que en 1493 había muerto, no lejos de Medina, en Arévalo, víctima de una dolencia mental.

A finales de mayo de 1504 parte de nuevo Juana hacia Flandes. Se despide de su madre, a la que ya no volvería a ver, y embarca en Laredo. Al llegar a Flandes vuelven a desatarse los celos incontrolados. Atribuye a don Felipe amores con todas las damas de su palacio. Llena de celos, hace cortar al rape la rubia melena de una joven que, según ella, era amante de su esposo.

No quiere a damas flamencas a su alrededor y se rodea de esclavas moriscas que ha traído de España y que se ocupan a diario de ella bañándola y perfumándola. Varias veces al día se lava la cabeza, síntoma que, según los psiquiatras, es característico de la esquizofrenia. Cuando sabe que su marido está en la habitación de al lado, se pasa la noche dando golpes a la pared.

El tesorero de doña Juana, Martín de Moxica, lleva un diario, que se ha perdido, en el que anota los sucesos de cada día y las anormalidades, cada vez mayores, de doña Juana y lo envía a los Reyes Católicos. El efecto que produjo nos lo podemos imaginar cuando la reina Isabel, tres días antes de su muerte, modifica su testamento indicando que si «su muy querida y amada hija aun estando en España no quisiera o no pudiera desempeñar las funciones de gobierno, el rey Fernando debía reinar, gobernar y administrar en su nombre».

Castilla se dividió en dos bandos: uno partidario de don Fernando, en quien veían dotes de gobernante y continuador de la política de doña Isabel, y otro afín a don Felipe, del que esperaban la concesión de privilegios otorgados antiguamente por los monarcas castellanos y que habían sido recortados por los Reyes Católicos. Por otra parte, algo de ambición debía de haber por cuanto, sabiendo que don Felipe estaba ignorante de las leyes y costumbres de Castilla, era forzoso que acudiese a la nobleza para aconsejarse, lo cual les permitiría la libertad de abusar del poder.

Cuando don Felipe se las prometía muy felices, doña Juana, a escondidas de su marido, envió una carta a su padre indicándole que era su voluntad que continuase gobernando el reino, pero la carta fue interceptada por don Felipe, que amenazó a su esposa con prohibirle la vuelta a España.

Los historiadores se preguntan si esta carta fue redactada por doña Juana en uno de sus ramalazos de razón o bien fueron los celos los que la incitaron a escribirla para fastidiar con ello a su marido.

Es curioso que después de esta epístola llega otra en la que doña Juana se queja de que le tengan por falta de seso y de que le levanten falsos testimonios. En ella anuncia que se encuentra bien de salud y que en caso de perderla sería don Felipe quien debería encargarse del gobierno de Castilla. Pero la carta no es autógrafa más que en la firma, ya que está escrita por el secretario Pero Ximénez, por lo cual el rey don Fernando, lógicamente, interpreta que ha sido escrita por inducción de don Felipe y tal vez haciéndola firmar por doña Juana en un momento oportuno.

El rey Fernando, por su parte, se casa en segundas nupcias con Germana de Foix, lo que hace que los cortesanos flamencos intenten que Juana firme documentos que comprometan al rey, a lo que se negó doña Juana exclamando:

—Dios me libre de hacer nada contra la voluntad de mi padre y de permitir que en vida de mi padre reine en Castilla otra persona. Que si el rey Fernando se casa otra vez es para vivir como buen cristiano.

Don Felipe se propone entonces ir a Castilla sin su esposa, pero don Fernando le avisa que, de hacerlo así, será tratado como extranjero.

El 8 de enero de 1506 don Felipe y doña Juana embarcan para trasladarse a España definitivamente. Un grupo de damas de la corte tuvo que ser embarcado a escondidas, pues doña Juana se negó a hacerlo si había otras mujeres en la comitiva.

Vallejo-Nágera, en su libro ya citado, comenta el hecho diciendo: «En doña Juana se perfila en esta primera etapa una forma de esquizofrenia llamada "paranoide" porque en ella dominan (a remedo de la paranoia y por eso la adjetivación de paranoide) las ideas delirantes parcialmente sistematizadas en este caso en un delirio de celos. El que los celos estén ampliamente motivados, como en doña Juana, no contradice que su formulación sea enfermiza y se llevan a exageraciones irreales como la de pretender que no acompañase ninguna mujer a la flota. A ello no puede acceder Felipe, pues el desembarco en España sin una sola dama acompañando a la reina sería interpretado automáticamente como que llegaba prisionera. Por eso las vuelve a embarcar sin que Juana se percate de ello.»

Este episodio se acompañó de la negativa de jurar los privilegios del reino de Galicia. Eso hizo ver a don Felipe que su pretensión de ser rey de Castilla era prematura. Su esposa decidía no hacer nada sin consultarlo con su padre. Un día, paseando a caballo, doña Juana se escapa sin que se sepa para qué. Se dice que para reunirse con su padre, que está cerca de Benavente, en donde se hallaban don Felipe y doña Juana. Se refugia en una cabaña y no quiere salir de allí. Por otro lado, don Felipe quiere reunir Cortes en Mucientes, pero a ello se opone doña Juana que, en un momento de lucidez como casi siempre tienen los locos, se niega a ello diciendo que vaya todo el mundo a Toledo, pues allí, una vez le hayan jurado fidelidad como reina de Castilla, ella jurará también sus leyes y derechos.

Otra vez tenemos que recurrir al libro de Vallejo-Nágera. Este ilustre psiquiatra analiza a lo largo de sus páginas la conducta de doña Juana y dice: «El diagnóstico de enfermedad mental no puede nunca basarse en que la conducta y conversación sean *normales* ocasionalmente sino que en algún momento son *anormales.*»

Al final se reunieron don Felipe y don Fernando, y en la aldea de Villafáfila, cerca de Puebla de Sanabria, firmaron un tratado por el cual se reconocían y confirmaban mutuamente en sus reinos: Fernando para Aragón, y Felipe y Juana para Castilla. Pero ambos soberanos, convencidos de la incapacidad de doña Juana para reinar, tenían preparadas una serie de cláusulas secretas para sacarlas a relucir en el momento que les pareciese oportuno y salvar así sus intereses.

Hago gracia al lector del sinfín de tejemanejes y triquiñuelas que se sucedieron desde aquel momento. Los visitantes de doña Juana se dividían entre los que, como don Pedro López de Padilla, procurador de Toledo, aseguraban al salir de una entrevista:

—Las primeras palabras eran las de una persona en su juicio, pero al seguir hablando parecía como si se saliese de la razón.

Y que conste que don Pedro fue leal a la reina hasta su muerte.

Otros, como el almirante de Castilla, visitan a la reina y luego declaran:

—Nada contestó que no fuese de razón.

Pero esta lucha entre suegro y yerno terminaría pronto. El 17 de setiembre, encontrándose con la reina en Burgos, se puso a jugar a pelota; al concluir la partida, sudoroso como estaba, bebió un jarro de agua helada. Al día siguiente no pudo levantarse a causa de la fiebre. La reina le cuidó no separándose ni un momento de su lado, hizo que le montasen una cama al lado de la de su marido y allí estuvo hasta la muerte de Felipe I el 25 de setiembre de 1506.

Empieza ahora la parte de la vida de doña Juana más

explotada por los autores románticos. La reina no derramó una sola lágrima y dio severas órdenes para que solamente hombres velasen el cadáver, prohibiendo que ninguna mujer se acercase a él. Dicen que estuvo presente mientras lo embalsamaban y no quiso que le enterrasen, sino que, pasados algunos días, mandó que el féretro fuese trasladado a la cartuja de Miraflores por ser el monasterio de cartujos, es decir de hombres, e hizo que lo instalasen en una dependencia de clausura para que ninguna mujer pudiese verlo, salvo ella por privilegio especial. Llevaba doña Juana colgada del cuello la llave del ataúd y, cada vez que le visitaba, lo abría para contemplar el cadáver, que por cierto estaba mal embalsamado y hedía.

Por el mes de noviembre hubo un brote de epidemia en Burgos y la Corte decidió trasladarse a otra ciudad, a lo que se opuso doña Juana por no alejarse de la cartuja de Miraflores. Por fin, el 20 de diciembre se consiguió que doña Juana consintiese en trasladar el cuerpo de su esposo a Granada para ser enterrado junto al de Isabel I. Dice González Doria:

«Envió su corte por delante de ella y solamente llevó en su cortejo varios frailes y una media docena de criadas viejas y feas; a la pobre doña Juana le atormentaban los celos incluso ahora que el Hermoso don Felipe no era ya nada más que unos míseros despojos pestilentes. Escoltaban el féretro soldados armados portando antorchas, los cuales tenían órdenes muy rigurosas de la reina de impedir que al pasar por las aldeas pudiese ninguna mujer acercarse al ataúd de don Felipe. Iba ella unos ratos en carruaje y otros cabalgando en enlutado corcel para poder acercarse a quienes llevaban las andas sobre las que se transportaba el féretro; ¡infelices portadores que debían ser renovados frecuentemente por serles insufrible el hedor! Como solamente se caminaba de noche, se hacía parada al llegar el día en la iglesia de algún lugar en donde los frailes del cortejo decían misas y pasaban la jornada entonando una vez tras otra el oficio de difuntos. Una de estas paradas se efectuó en un convento que había en mitad de la campiña, pero al darse cuenta la reina de que se trataba de un cenobio de monjas, aunque eran de clausura, ordenó se sacase de allí rápidamente el féretro y se acampase fuera del convento; es éste el momento que, idealizado en bastantes detalles sin excesivo rigor histórico, ha inmoralizado Francisco Pradilla en un famosísimo cuadro.»

Dos cosas son de notar en este célebre cuadro. Primero, que tanto la reina como las damas que la acompañan van vestidas de negro, lo cual era una novedad, pues el luto en aquella época se representaba con el color blanco. Fueron precisamente los Reyes Católicos los que en su *Pragmática de luto y cera* impusieron el color negro. Poco antes, un edicto del Concejo de Burgos mandaba que en caso de luto se llevase el vestido blanco «so pena que sea rasgada la ropa que trajesen e si alguno por pobreza no pudiere haber ni comprar luto o margas que haya ropas pretas». Marga, dice el diccionario, es «jerga que se emplea para sacos jergones y otras cosas semejantes y que en época antigua se llevó como luto riguroso»; preto o prieto significa negro. Lo segundo a notar es la presencia de mujeres en el cortejo de la reina. Ésta había autorizado a unas cuantas damas viejas y feas a que la acompañasen, manteniéndose siempre lejos del féretro. Puesto que su marido había muerto ya no había peligro de seducción.

Ludwig Pfandl dice que algunos contemporáneos pretendían saber que doña Juana estaba poseída por la idea fija de que el muerto había sido embrujado por mujeres envidiosas, que su muerte era sólo aparente y temporal, que al cabo de cierto plazo volvería a la vida y que ella vivía con el constante temor de que podría dejar escapar este momento.

A todo esto doña Juana estaba embarazada y al llegar a Torquemada dio a luz a una niña que se llamó Catalina y llegó a ser reina de Portugal.

La leyenda afirma que doña Juana anduvo errante por España sin rumbo fijo durante cierto tiempo. Nada más lejos de la realidad. El itinerario de doña Juana no se mueve fuera de un círculo de relativamente pocos kilómetros. De Burgos a Torquemada, de Torquemada a Hornillos, de allí a Tórtoles y por último va a Arcos, donde se detuvo a principios de 1509.

El cadáver tenía que ser conducido a Granada y don Fernando se daba cuenta de que el deambular de doña Juana era absurdo, aparte de provocar numerosos incidentes a causa de sus celos póstumos. En el fondo a don Fernando no le importaba nada que el cadáver de su yerno reposase en Granada o en cualquier otro sitio.

En 1508 don Fernando, junto con Germana de Foix, su segunda esposa, visitaron a doña Juana que, ya completamente orate, no consentía en cambiar de vestidos ni en lavarse, ella que había sido siempre tan limpia. Al final, y ya en 1509, se decidió doña Juana a trasladarse a Tordesillas. El ambulante féretro de don Felipe fue instalado en la iglesia de Santa Clara y colocado de tal forma que la infeliz reina podía verlo a cualquier hora del día y de la noche desde las ventanas de sus aposentos.

Don Fernando, ansioso de tener hijos con doña Germana, tomaba continuamente pócimas y brebajes pretendidamente afrodisíacos. No consiguió nada con ello sino acelerar su muerte, que tuvo lugar en Madrigalejo el 23 de enero de 1516.

En su testamento dejó por heredera a su hija doña Juana, pero se refería a ella en los siguientes términos:

E cierto que ya que del impedimento de la dicha Serenísima Reyna nuestra primogénita sentimos la pena como padre que es de las más graves que en este mundo se puede ofrescer, nos parece para en el otro nuestra consciencia estaría muy agrabada e con mucho temor si no proveyésemos en ello como convinese; por ende en la mejor vía y manera que podamos y debamos dejamos y nombramos por Gobernador general de todos los dichos Reynos e Señoríos nuestros al dicho Ilustrísimo Príncipe Don Carlos nuestro muy caro nieto para que en nombre de la dicha Serenísima Reyna su madre los gobierne, conserve, rija e administre...

En otoño de 1517 llegaron a España desde los Países Bajos sus hijos Carlos y Leonor. El primero, de diecisiete años de edad, había sido proclamado en Bruselas rey de Castilla y Aragón. Fueron a visitar a su madre. Carlos, que no sabía hablar todavía en castellano, se le dirigió en francés:

—Señora, vuestros obedientes hijos se alegran de encontraros en buen estado de salud y os ruegan que les sea permitido expresaros su más sumiso acatamiento.

La reina se les quedó mirando un rato como haciendo un esfuerzo para concentrarse.

—¿Sois vosotros mis hijos?... ¡Cuánto habéis crecido en tan poco tiempo!... Puesto que debéis estar muy cansados de tan largo viaje, bueno será que os retiréis a descansar.

Y esto fue todo después de doce años de no haberlos visto.

En Tordesillas quedó con su madre la pequeña Catalina, que ya tenía diez años. Llevaba una triste vida. Aparte de la sarna, que le producía grandes comezones, no tenía otra diversión que mirar desde la ventana a la gente que pasaba yendo a la iglesia. A veces echaba unas monedas a la calle para que los niños fuesen a jugar bajo su ventana y no tenía otra compañía que dos antiguas y viejas criadas.

Se decidió sacarla de allí y pasó un día entero sin que doña Juana se diese cuenta de su ausencia, pero cuando lo hizo empezó a llorar y a lamentarse en forma tan lastimera que no hubo más remedio que devolver a la infanta a su encierro. Eso sí, lo hizo acompañada de una pequeña corte de damas y doncellas, algunas de su misma edad, y se procuró que ocupase aposentos distantes de los de su madre, que se divirtiese en lo posible y saliese a montar a caballo por los alrededores de Tordesillas.

Doña Juana ignoraba que había muerto su padre y no le chocaba que no fuese a verla porque ella, en su abulia, tampoco tenía deseos de verle.

Un acontecimiento sucedió en España que pudo haber cambiado la historia del país: fue el alzamiento de los comuneros en el que desempeñó Juana un papel, aunque pasivo, muy importante. «Los revolucionarios afirmaban, porque ello era favorable a sus intereses, que estaba prisionera contra toda justicia y además sana de juicio. Penetraron en el castillo y quisieron libertarla; ella no se movió del sitio. Le dijeron que hacía mucho tiempo que había muerto el rey don Fernando; no quiso creerlo. Pusiéronle a la firma decretos sobre la nueva organización del gobierno; la letargia no le permitió levantarse para ello ni leer siquiera uno; se negó a firmarlos. Le amenazarón diciéndole que mientras negara la firma ni ella ni la infantita lograrían comer un bocado; Juana no se conmovió lo más mínimo. Hincáronse de rodillas delante de ella, le pusieron ante sus ojos los decretos escritos, la pluma de ave y el tintero y la importunaron con vehementes ruegos; pero ella miró por encima de sus cabezas y buscó con vacía mirada una lejanía indecisa. Por último, entraron varios sacerdotes para exorcizar a la pobre reina y librarla de la violencia del espíritu malo que moraba en ella. Pero todo fue en vano: Juana perseveraba en su indiferencia y en su resistencia pasiva. Sin saberlo salvó la soberanía de su hijo, pues su firma hubiera hecho gobierno legítimo lo que ante la ley era un conjunto de rebeldes.» Son palabras de Ludwig Pfandl.

Y así pasan años y años. Cada vez se va acentuando la enfermedad de la reina. Tiene arrebatos de furia, golpea a las criadas y a las damas de su servicio, come sentada en el suelo y, al terminar, arroja la vajilla y los restos de comida detrás de los muebles. Se pasa dos días sin dormir y luego durante otros dos no se mueve de la cama. Va andrajosa y sucia, no se lava. Como una gran cosa, un mes se cambia tres veces de vestido y duerme con ellos puestos.

Durante cuarenta y seis años vive, si a eso se le puede llamar vivir, encerrada en Tordesillas. Sólo recobra la razón en la primavera de 1555, cuando Francisco de Borja, que había sido duque de Gandía, la visita y logra que se confiese; pero es sólo un instante, pues rechaza toda práctica religiosa. Una vez Francisco la abandona, vuelve a caer en su locura habitual. El confesor de doña Juana, Francisco de Borja, será, tiempo después, elevado a los altares.

Doña Juana está cada vez más enferma, sus piernas se ulceran, se infectan las heridas, tiene fiebre y vómitos. Sus dolores son tales que no grita sino aúlla día y noche. Muere en la madrugada del viernes santo 12 de abril de 1555, a los setenta y cinco años de edad, después de haber estado encerrada desde los veintinueve.

Su hijo Carlos abdica seis meses después. Los únicos seis meses en que legalmente había sido rey de España.

¿Locura de amor? ¿Locura de celos? ¿Simplemente locura manifestada a través de ellos?

Lo cierto es que la vida de doña Juana está muy lejos de la propagada por las novelas, el teatro o el cine, pero es que la realidad siempre es más dura que la ficción, por brutal que ésta se presente. En la vida real se sufre y no se finge.

Año 1707

De cómo la ambición de poder puede llevar a la máxima degeneración y al crimen

MADAME DE MONTESPAN Y LA MAGIA NEGRA

El siglo XVII fue en Francia el siglo de los venenos. Entre los principales protagonistas de los procesos de la época se encuentran la marquesa de Brinvilliers y la marquesa de Montespan, favorita del rey Luis XIV.

Marie-Madeleine d'Aubray nació el 2 de julio de 1630 en una honorable familia. Sus primeros pasos en la vida ya fueron escandalosos pues, según su confesión, a los 7 años ya hacía el amor con sus dos hermanos. La falta de todo sentido moral, la ausencia total de escrúpulos, son características inmutables a lo largo de su vida. En 1651 se casa con Antoine Gobelin, marqués de Brinvilliers, hombre insignificante pero de buen carácter y rico. Quizá su vida se hubiera desarrollado normalmente si no llega a ser que el marqués de Brinvilliers adoraba el juego y a las mujeres. En consecuencia su esposa se buscó varios amantes, empezando por el preceptor de sus hijos, y después, con el intermedio de algunos más que no son conocidos, un capitán de caballería llamado Gaudin de Sainte-Croix. El marqués de Brinvilliers estaba al corriente de los líos de su esposa y no encontró ningún inconveniente en ser cornudo por obra y gracia de un hombre que le parecía muy simpático. Pero el padre de la marquesa, Antoine Dreux d'Aubray, que no decía nada mientras las aventuras de su hija eran discretas, no estaba dispuesto a admitir el escándalo que provocaba su hija exhibiéndose escandalosamente del brazo del capitán a la vista de todo París.

Dreux d'Aubray, que entre otros cargos era teniente civil de la ciudad de París, obtuvo una orden de detención contra Sainte-Croix, que fue encerrado en la Bastilla. Sin saberlo, el buen hombre había firmado su sentencia de muerte, pues en la cárcel Sainte-Croix, que era aficionado a la química, se encontró con un italiano llamado Exili que conocía los secretos de los venenos. Sainte-Croix había sido alumno de Christophe Glaser, reputado químico que daba clases en el Jardín de Plantas parisino y que en sus lecciones reunía abundante público.

La cautividad de Sainte-Croix duró sólo seis meses, pasados los cuales se encontró de nuevo con su amante, con la que imaginó un diabólico plan: envenenar al padre de ésta. Ello no podía hacerse de forma brusca, lo cual hubiera despertado sospechas, por lo que, haciendo gala de un hipócrita cinismo, se dedicó a cuidar enfermos en un hospital de París. Éstos al principio se mostraban agradecidos a la dama de la alta sociedad que los atendía y se cuidaba de ellos hasta su muerte, porque lo que hacía la Brinvilliers era experimentar en ellos los efectos del veneno que pensaba dar a su padre. No se sabe cuántas fueron las víctimas causadas, que morían todas entre atroces agonías.

Contrató para sus planes a un criado llamado Gascon, que le fue proporcionado por Sainte-Croix. Durante ocho meses proporcionaron el veneno al padre en pequeñas dosis para que así, declinando progresivamente su salud, la muerte pareciese natural. Su hija, con aparente afecto, le cuidaba y le administraba tazas de caldo en las que había mezclado el veneno, la mayor dosis del cual le administró el 10 de setiembre de 1666. El enfermo sintió grandes dolores de estómago seguidos de largos vómitos y murió a los 66 años de edad, después de haber hecho testamento por el que repartía su fortuna entre sus hijos.

Madame de Sévigné escribe: «Los más grandes crímenes son una tontería comparándolos con esos ocho meses empleados en matar a su padre recibiendo todo su cariño, a lo que ella correspondía doblando la dosis.»

Este éxito incitó a la marquesa a continuar actuando. Esta vez la víctima escogida fue su marido. Quería quedarse viuda para casarse con Sainte-Croix, pero éste no quería matrimoniar con tal mujer, sino sólo aprovecharse de ella. Su marido correspondía al veneno que la marquesa le administraba con una dosis de contraveneno, de manera que cinco o seis veces estuvo a punto de morir y cinco o seis veces sobrevivió. Con graves penalidades pudo salvar la vida.

De todos modos el desgraciado descubrió rápidamente la clase de mujer con la que se había casado. Tomó precauciones hasta el punto de hacerse servir el vino o los líquidos que tomaba por un lacayo contratado al efecto, el cual tenía orden de no dejar acercarse a nadie a las botellas reservadas para él.

Parece ser que intentó envenenar también a su hermana Teresa, muy religiosa y beata, que se escandalizaba de su vida privada, pero no llegó al final de su intento. Cosa que sí logró en las personas de sus dos hermanos Antonio y Francisco. Y es que cada vez necesitaba más dinero puesto que el que había heredado de su padre se estaba terminando. De acuerdo con Sainte-Croix, hizo que entrase al servicio de sus hermanos un tal Jean Hamelin que se encargó de envenenarlos. La primera tentativa fue un fracaso, puesto que la dosis suministrada era demasiado grande y se notó su gusto en el vino. Pero las otras veces fueron acompañadas por el éxito hasta el punto que el 12 de junio de 1670, a los 37 años de edad, Antonio moría envenenado. Los médicos le hicieron la autopsia pero la ciencia de aquel tiempo no permitió encontrar rastros de veneno.

Cinco meses más tarde, la muerte del otro hermano Francisco hizo concebir dudas a mucha gente, pero la Brinvilliers ya gozaba de la totalidad de la fortuna dejada por su padre.

En esto Sainte-Croix murió y, aunque parezca increíble, de muerte natural. La marquesa cuando se enteró de la muerte de su cómplice exclamó solamente:

—¡La cajita!

¿De qué se trataba? La Brinvilliers sabía que Sainte-Croix conservaba en una caja las cartas que le había escrito, así como varios pagarés en los que la marquesa reconocía deber dinero a cuenta de la herencia de su padre y de sus hermanos. El criado de la marquesa se presentó en el domicilio de Sainte-Croix para apoderarse de la famosa cajita, pero la policía ya había sellado el piso. Cuando se enteró de ello, la Brinvilliers dijo que el difunto tenía dinero suyo y que debía recogerlo. En presencia del juez fueron levantados los sellos del piso y en una habitación se encontró un laboratorio químico y sobre la mesa un rollo de papel con la inscripción *Mi confesión*. Creyendo que se trataba de algo relacionado con la religión se acordó quemar el documento, con lo que la Brinvilliers se creyó en parte salvada. Pero junto a la famosa cajita había una nota de Sainte-Croix en la que se decía que se la entregasen a la marquesa de Brinvilliers, «dado que todo lo que contiene le concierne y le pertenece sólo a ella». Teniendo en cuenta que la policía no hacía ninguna pesquisa, sino solamente un inventario de los bienes y efectos del difunto, no hubiese pasado nada si no llega a ser que el criado de la Brinvilliers, que estaba citado para declarar, creyendo que se había abierto la misteriosa cajita, huyó de París.

Las sospechas por fin se centraron en la marquesa, pero no se atrevieron a detenerla, lo que aprovechó la Brinvilliers para escapar. Dos semanas más tarde la policía detenía al criado; éste, sometido al tormento, confesó haber asesinado a Antonio y Francisco, los hermanos de la marquesa, por lo que fue condenado a muerte. En el mismo proceso se condenaba también a la marquesa de Brinvilliers a ser decapitada. Pero ésta se había instalado en Londres. El embajador francés en Inglaterra pidió la extradición de la marquesa, que tuvo tiempo de huir y refugiarse en Lieja. Un año estuvo escondida en un convento y, al parecer, llena de remordimientos, empezó a redactar una confesión en donde mezclaba sus crímenes y sus pecados. De todos modos la policía francesa, enterada del refugio que se había buscado, se apoderó de ella con la ayuda de las autoridades españolas y la condujo a París. Durante el camino, la Brinvilliers intentó varias veces suicidarse tragando una cantidad de alfileres o trozos de vidrio que había roto con los dientes.

De nada le sirvió, pues entre los papeles que se le habían ocupado estaba la famosa confesión.

Su proceso duró veintidós días, durante los cuales hizo gala de altivez, audacia, desprecio y tozudez frente al tribunal y en relación a sus crímenes. Pero después de ser condenada a muerte pidió un confesor, tras lo cual declaró públicamente sus crímenes.

En la plaza de Grève fue decapitada y su cuerpo quemado.

Madame de Sévigné escribió a su hija: «Por fin se ha terminado, la Brinvilliers está en el aire, su pobre cuerpecito después de la ejecución fue tirado a una gran hoguera y sus cenizas esparcidas al viento de manera que la respiraremos y por la comunicación de pequeños espíritus nos inficionará algún humor venenoso que nos dejará a todos asombrados.»

Sin saberlo, fue profeta.

Un año después de acontecido lo relatado estallaba otro drama tan importante que en Francia es llamado por antonomasia el Drama de los Venenos. Ni que decir tiene que el caso de la marquesa de Brinvilliers continuaba alimentando las conversaciones de la gente y que en ciertos ambientes se sospechaba de cualquier muerte repentina o inesperada. Incluso cuando la enfermedad era de difícil diagnóstico, cosa no rara en aquellos tiempos, las sospechas eran múltiples. Saint-Simon narra en sus memorias el caso de Madame; la cuñada de Luis XIV había muerto envenenada por el marqués de Effiat por encargo del hermoso caballero de Lorena cuyo lío con Felipe, duque de Orleans, marido de Madame, era notorio. Claro está que no hay pruebas de ello.

El jefe de la policía de París, La Reynie, detiene el 5 de diciembre de 1677 a un tal Luis de Vanens, protegido de madame de Montespan, en aquel momento favorita real. Se encuentra en su domicilio una cantidad de pócimas y venenos y se descubre que Vanens se dedicaba a la magia negra con encantamientos y oraciones pronunciados sobre el vientre de perros y otros animales. La Reynie vacila un tiempo pues madame de Montespan goza del favor real y él no se atreve a pegar tan alto. Pero un día de enero de 1679 un suceso casual viene en su ayuda.

Aquel día una tal Maria Bosse cena en casa de una amiga suya llamada Vigoureux, e impulsada por el mucho vino bebido alardea de su suerte diciendo:

—Tres envenenamientos más y podré retirarme de los negocios.

Uno de los invitados lo contó a la policía, la cual detuvo a las dos mujeres, cuyas explicaciones permitieron a La Reynie llegar hasta el personaje clave del asunto, una tal Catalina Deshayes, conocida con el nombre de Voisin, mujer de 33 años de edad que se dedicaba a la quiromancia, la astrología, amén de ser echadora de cartas y otros oficios por el estilo. En su casa de la calle Beauregard recibe a todo el mundo conocido en París y, entre otras personas, a madame de Montespan.

Nacida en 1641, Françoise de Tonnay-Charente, que después se hizo llamar Diana y Athenais, había heredado de su madre un gran sentido religioso y de su padre el gusto de la aventura y la galantería, dos tendencias contradictorias que marcaron profundamente su vida. A los 22 años se casa con Lois-Henri de Pardaillan de Gondrin, marqués de Montespan, matrimonio que no era más que un paso o un trampolín para entrar en la corte y conseguir suplantar a mademoiselle de La Vallière —entonces favorita del rey— en el lecho del monarca.

Lo consigue con cierta dificultad, pero lo consigue. El rey entra en su habitación vestido como un guardia suizo y no sale de ella hasta primeras horas de la mañana. Un día, durante la cena, la reina se queja de que el rey no se ha acostado hasta las cuatro.

—Señora, leo los documentos y despachos que me han preparado los ministros.

—Podríais hacerlo a otra hora.

El rey procura evitar la sonrisa; los cortesanos, que conocen la aventura real, disimulan discretamente.

El marqués de Montespan no era precisamente un marido complaciente, y cuando se enteró de la aventura de su esposa no hizo como tantos otros que consideraban un honor ser cornudos reales. Después de una violenta discusión con su esposa, fue a hablar al rey de hombre a hombre. Le habla de la Biblia y amenaza al monarca de la venganza del cielo si no cesa el adulterio con su mujer, lo que causa gran regocijo en la corte, que no estaba acostumbrada a reacciones semejantes. La marquesa de Montespan se queja de que su marido y su loro sean causa de bromas entre la gente.

El caso es que Montespan acabó por complacerse en su papel de marido ultrajado. No consiguiendo recuperar a su esposa, hace que sus criados se vistan de luto y tapiza su carroza con telas negras.

El rey le preguntó:

—Veo que lleváis luto. ¿Por quién?

—Por mi esposa, señor.

El impertinente fue desterrado a las tierras de su padre y lejos de atemperar su rabia se complace en exhibirla. No contento con tapizar de negro su carroza hace bordar unos cuernos dorados que la decoran y convoca a toda la familia a unos funerales por el alma de su esposa penetrando en la iglesia por la puerta grande, ya que decía que la altura de sus cuernos no le permitía entrar por las puertas laterales más pequeñas.

Madame de Montespan pidió la separación de cuerpos y bienes con el apoyo de su real amante. Su esposo fue condenado, acusado de sevicias contra su esposa. Es decir, tras cornudo, apaleado.

Ésta era pues madame de Montespan, implicada en lo que se llamó el Drama de los Venenos.

Una vez detenida la Voisin, ésta empezó a confesar sus crímenes y La Reynie, que estaba habituado a lo más bajo y terrible de la delincuencia, no pudo evitar decir: «Es difícil imaginar crímenes más horribles.»

Abortos, infanticidios, sacrilegios y —naturalmente— envenenamientos, todo ello en cantidades tan terribles que hacen estremecer al que lee los procesos que se siguieron. Se averiguó que la Voisin y sus cómplices estaban en combinación con sacerdotes degenerados, organizadores de misas sacrílegas. Estos eclesiásticos vendían a los clientes de las envenenadoras pactos con Satanás. Profanaban hostias y se hacían misas negras a la luz de cirios confeccionados con grasa humana sobre altares en los que se degollaban niños. La sangre de estos últimos entraba en preparaciones inmundas con intención afrodisíaca o criminal. Las pequeñas víctimas eran compradas a prostitutas o madres solteras o robadas a sus padres por una red de infames proveedores. La Voisin reconoció que ella sola había enterrado en su jardín o quemado en su horno más de dos mil cadáveres o fetos.

Se descubrió entonces que madame de Montespan había recurrido a tales misas negras y su cuerpo desnudo había servido de altar. Se había pagado un escudo para comprar un recién nacido, que fue degollado y ofrecido al diablo en sangriento sacrificio. La sangre del niño había sido mezclada con el vino del cáliz y consagrada al diablo. Su corazón y sus entrañas habían servido para hacer unos polvos mágicos para el rey y madame de Montespan.

Ésta había querido conquistar con tales procedimientos el amor del rey. ¿Amor? Lo que movía a la criminal marquesa no era ese sentimiento, que a veces puede obnubilar el cerebro, era la ambición y el deseo de poder. No quería tampoco el amor del rey, mezclar esta palabra o estos sentimientos con tales prácticas es absurdo. Quería aprovecharse de unos pretendidos poderes mágicos para conquistar no el amor del monarca, sino su voluntad. ¿Se puede hablar en este caso de historia de amor? Sólo en un sentido muy lato. Los protagonistas de esta terrible historia eran amantes. Por parte del rey había tal vez, además del deseo físico, algo de pasión; por parte de ella sólo ambición y prostitución de la peor clase. No creo que ninguna prostituta, por más baja estofa que se le atribuya, llegue a extremos tan delirantes como los narrados. Y que conste que ejerzo una censura rigurosa omitiendo párrafos enteros de los procesos por parecerme tan horribles y vergonzosos que me siento incapaz de transcribirlos. El lector curioso puede encontrarlo en las obras de Funck-Brentano o en los tomos 4 a 7 de los archivos de la Bastilla, publicados por F. Ravaisson.

El escándalo fue tan grande que no se pudo ocultar al rey, el cual ordenó la creación de un tribunal especial para entender del asunto. Se le llamó la Chambre Ardente y celebró sus sesiones desde el 10 de abril de 1679 hasta el 21 de julio de 1682. Sobre trescientos casos juzgados no se pronunciaron más que 36 condenas a muerte, cosa sorprendente en un siglo en donde la brujería más trivial era suficiente para llevar a sus adeptos a la hoguera.

La Voisin fue ejecutada el 20 de febrero de 1680; se la llevó a la hoguera y, atada a una viga de hierro, se la cubrió de paja, que ella procuraba apartar. La paja servía para hacer más rápido el fuego; además, el condenado moría por asfixia antes que por las quemaduras. Las cenizas de la Voisin fueron esparcidas al aire.

El proceso continuaba y llegaban sus consecuencias hasta las gradas del trono: Olimpia Mancini, condesa Soissons, amante de Luis XIV, tuvo que huir, al parecer avisada por orden del propio rey, que seguramente ignoraba detalles de sus crímenes; María Ana Mancini, duquesa de Bouillon y hermana de la anterior, fue acusada de tentativa de asesinato de su esposo, cuya muerte le hubiese permitido casarse con el duque de Vendôme, y fue condenada a quince meses de exilio. Títulos y más títulos de la corte real, príncipes y princesas, duques y duquesas, marqueses, condes, grandes caballeros en cantidad exorbitante figuran en los procesos.

La Montespan había dado siete hijos al rey: un hijo muerto a los pocos meses de nacer, el duque de Maine, el conde de Vexin, mademoiselle de Nantes, mademoiselle de Tous, mademoiselle de Blois y el conde de Tolosa. Todos ellos intervinieron más o menos en la vida política y galante de su época. Madame de Montespan veía que, no obstante ello, su papel de favorita se estaba terminando, cosa que sucedió cuando Luis XIV tuvo conocimiento de la documentación reunida por La Reynie, y que le horrorizó hasta tal punto que un día, a la muerte de La Reynie, se hizo entregar todos los papeles del caso y los quemó cuidadosamente. Lo que no sabía el monarca era que el honrado funcionario había sacado copia de todos ellos, gracias a lo cual los historiadores actuales han podido tener acceso al proceso.

El poderío de madame de Montespan había terminado. Otra mujer le sustituyó en el corazón del monarca, era la viuda del poeta Scarron, conocida más tarde con el nombre de madame de Maintenon, que acabaría casándose con el rey en matrimonio morganático. Madame de Maintenon se ocupó de la educación de los hijos del rey y de madame de Montespan. Era mujer muy creyente y devota. Madame de Montespan fue apartada de las ceremonias de la corte e intentó reconciliarse con su marido, cosa a la que éste se negó. Se retiró a un convento y allí murió en 1691.

Año 1764

De cómo los vicios de una corte pueden llegar a lo más innoble si una mujer inteligente se lo propone

LA MARQUESA DE POMPADOUR, AMANTE Y ALCAHUETA REAL

El rey Luis XV de Francia volvía de cazar en el bosque de Senart en su carroza junto con su amante madame de Châteauroux y madame de Chevreuse. A lo largo del camino se encontraban coches y carros de la pequeña nobleza o de la burguesía, que esperaban ver pasar el rey. Entre ellos un faetón color cobalto conducido por una joven dama de singular belleza. No era la primera vez que el rey la veía, pues cada día que salía de caza se cruzaba a la vuelta con el coche y su conductora. Intrigado, el rey había ordenado averiguar quién era aquella dama y supo que era madame Le Normand d'Etiolles, por su familia Juana Antonieta Poisson. El rey la miró atentamente, como hacía cada vez que pasaba por allí, y como madame de Chevreuse dijera que «aquella pequeña d'Etiolles estaba más bonita que de costumbre», madame de Châteauroux, celosa, buscó traidoramente con el suyo el pie de madame de Chevreuse y lo aplastó tan cruelmente que ésta lanzó un grito y se sintió indispuesta. Aquello hizo que no se hablase más aquella tarde de la dama del faetón azul.

No era casualidad el que cada tarde de caza madame Le Normand d'Etiolles estuviese en su lugar de costumbre. Cuando era niña, una adivina, madame Lebon, le había predicho que no sería reina pero sí casi reina, lo que hizo que en su familia llamasen siempre a Juana Antonieta con el sobrenombre de «reinecita».

El padre de «reinecita» era hijo de un aldeano. Feo y

muy brusco en sus maneras, sin moralidad y sin escrúpulos, había hecho su fortuna como proveedor de las tropas reales. Encargado de avituallar París durante la escasez de 1725, especuló de tal forma que no pudo rendir cuentas al intendente general y tuvo que escaparse a Alemania, en donde intrigó y obtuvo al fin la revisión de su proceso, recuperando su puesto mediante la entrega al tesoro de cuatrocientas mil libras.

La madre era persona similar en cuanto a carácter. Con fecha de abril de 1745, Barbier presentaba en su diario a la madre de la Pompadour en estos términos: «Su madre era una tal señora Poisson, muy bella aún, hija del señor de La Motte, quien la casó con Poisson, que era un intrigante. Un día el señor Le Blanc, secretario de Estado en el departamento de Guerra, hallándose en los Inválidos, donde el señor La Motte ejercía un cargo, vio un retrato que le emocionó. Le dijeron que era la hija del señor La Motte, esposa de Poisson. Le Blanc hizo que su padre se la presentara, se enamoró de ella y la convirtió en su amante durante algún tiempo. A continuación ella lo fue de un embajador y, finalmente, habiendo conocido al señor Le Normand se hizo amiga de él y continuó siéndolo siempre. De esta amistad nació la señora d'Etiolles a quien Le Normand llevó a vivir con él en compañía de su madre.» En otro libro se lee: «La señora Poisson era una de las mujeres más desvergonzadas que pueda imaginarse. Carecía de todo freno y de todo pudor. Después de haber traficado con sus propios encantos, le pareció oportuno que su hija la imitara, y tantas veces le dijo que era un bocado de rey que acabó despertándole el deseo de ser amante del monarca.»

Cuando nació Juana Antonieta, el señor Le Normand tomó muy en serio su supuesta paternidad. Hizo que a la niña se la educase esmeradamente y aprendió a cantar, a tocar, a danzar y a declamar. Apenas adolescente era ya una mujer excepcional y el señor Le Normand le escogió esposo en la persona de su sobrino Carlos Guillermo le Normand d'Etiolles, a quien entregó la mitad de sus bienes, prometiéndole la otra mitad para cuando él falleciese; el 9 de marzo de 1741 la señorita Poisson se convirtió en la señora d'Etiolles.

Este casamiento representaba para Juana Antonieta la posibilidad de frecuentar un mundo que hasta entonces le estaba vedado. Naturalmente no se trataba de la nobleza, sino de la alta burguesía. Una de las amistades que consiguió hacer fue la de madame de la Ferté-Imbault, quien narra la primera vez que la visitaron la señora Poisson y su hija ya casada: «Había alquilado una casa cuatro puertas más allá de la de mi padre, y la Poisson puso especial empeño en entrar en relaciones de amistad con mi madre, cuyo salón comenzaba a adquirir gran celebridad. Tomó como pretexto a su hija, a quien deseaba poner en buena compañía, y con gran asombro y desagrado vi llegar un día a nuestra casa a la Poisson con su hija. La madre estaba tan desacreditada que era imposible cultivar su trato; pero la hija merecía alguna cortesía. Me vi muy apurada para separar a una de la otra sin parecer grosera; conseguí al fin mi deseo no devolviendo la visita más que a madame d'Etiolles, la cual había pedido permiso a mi madre para frecuentar nuestra casa "para adquirir *esprit*", pues las amistades de su tío, decía ella, "eran muy buenas personas, pero de muy mal tono".»

Como era lista y bonita, no tardó en tener muchos galanes a su alrededor, pero ella los rechazaba a todos; recordando la predicción de la Lebon decía: «Solamente el rey lograría hacerme ser infiel a mi marido.»

El 25 de febrero de 1745 se celebraba en la gran galería de Versalles un baile en el que se mezclaban los miembros de la nobleza con los de la alta burguesía. Era un baile de disfraces y todo el mundo esperaba la llegada del rey procurando adivinar quién sería entre los hombres disfrazados y enmascarados. Una dama, madame de Portail, lo descubrió en un grupo y con refinada coquetería se lo llevó a una habitación en donde se prestó a todo aquello que el amor, la pasión, el deseo y la ambición pueden provocar entre un hombre y una mujer. Lo triste es que después del combate amoroso el supuesto rey se quitó el antifaz y resultó ser uno de los componentes de la Guardia Real, el cual, encontrando la aventura divertida, la explicó a todo el mundo.

De madrugada, el rey se dio a conocer y se dirigió a un grupo de pequeñoburguesas entre las que distinguió, al quitarse el antifaz, a madame Le Normand d'Etiolles, quien, una vez llamada la atención del rey, se esquivó coquetamente dejando caer un pañuelo que el rey recogió del suelo y se lo devolvió lanzándolo por encima de las cabezas de los asistentes.

Algunos días después el rey habló con su más íntimo camarero, que se llamaba Binet y que daba la casualidad que era primo de Juana Antonieta; le dijo que estaba cansado de sus amantes y que deseaba encontrar una mujer que le hiciese olvidar las pesadumbres de su oficio de rey y las preocupaciones del gobierno del país. Binet vio el cielo abierto y le habló de una mujer que le gustaría, que desde niña estaba enamorada de él y que no era otra que la señora del bosque de Senart y del baile de máscaras.

A primeros de abril el rey la invitó a cenar a solas con él en sus habitaciones. De madrugada la señora Le Normand d'Etiolles llegaba a su casa despeinada y con ojeras.

Esta primera entrevista no satisfizo a Luis XV. Al parecer la señora D'Etiolles no era precisamente una gran amante. Se dijo después que era fría, por no decir frígida, y que si conquistó al rey y permaneció a su lado como favorita durante tan largo tiempo se debió más a su inteligencia que a sus sentidos, ya que supo sustituir éstos con los placeres que al rey le podían proporcionar otras mujeres que ella escogía, generalmente jóvenes e inexpertas, y que no podían hacer daño a su papel de favorita real.

Una tarde Luis XV preguntó a Binet:

—¿Qué se ha hecho de vuestra prima?

—Majestad, se pasa el día llorando.

—Se debe arrepentir de haber pecado. Pero me gustó. Parece un poco ambiciosa. Me he mostrado indiferente para ver cómo reacciona.

Binet se apresuró a contestar que su prima se había enamorado locamente del rey, que su marido había sospechado algo y ella se debatía entre el amor al monarca y la fidelidad a su marido.

Esta respuesta añadía algo picante a la relación entre el rey y la D'Etiolles, lo que no dejó de interesar a Luis, el cual la citó para una cena unos días después.

La futura marquesa de Pompadour, aleccionada por su primo, representó a la perfección el papel de mujer enamorada que se debate entre el amor y el remordimiento. Habló de su celoso marido, capaz de cualquier cosa, y el resultado de su representación teatral fue que el rey la invitase a quedarse y la instalase en las habitaciones que antes había ocupado la marquesa de Mailly, su antigua amante.

En esto, el rey tuvo que partir para Flandes a reunirse con el ejército que allí luchaba y la señora D'Etiolles se quedó en París, desde donde le escribía cartas ardientes que le dictaba el abate de Bernis, su amigo fiel.

Las cartas dieron resultado. Las respuestas del rey eran cada vez más ardorosas. La última de las veinticuatro que le escribió iba dirigida «a la marquesa de Pompadour».

El marquesado de Pompadour pertenecía a una ilustre familia del Limousin y se había extinguido por falta de descendencia. El título había revertido a la corona y Luis XV lo había concedido al príncipe de Condé, a quien se lo volvió a comprar.

Faltaba la consagración oficial de la nueva marquesa de Pompadour, es decir, su presentación en la Corte.

A todo eso el marido de la nueva marquesa de Pompadour tomó a mal el hecho de que su esposa fuese la nueva favorita real, cogió una pistola y anunció que iría a la corte a matar a su mujer. Los amigos le desarmaron y le convencieron de que lo más sensato era dejar que las cosas siguieran su curso y retirarse fuera de París. Así lo hizo el pobre cornudo, instalándose en Avignon, en donde por lo visto recapacitó, pues al cabo de unos meses volvió a París, donde se le concedió un magnífico empleo muy bien retribuido. Los cuernos dorados pesan menos.

La presentación en la corte fue objeto de un pequeño escándalo. Hasta entonces las amantes del rey habían sido damas pertenecientes a la misma, pero ahora se trataba de una burguesita sin ningún tipo de título de nobleza más que del muy reciente que le había concedido el rey.

Una noche, en una reunión aristocrática, un tertuliano dijo:

—Me gustaría saber quién será la puta que presentará a esta otra puta.

—No digáis más —respondió la dueña de la casa—, la primera puta seré yo.

Y así se hizo. Madame de Pompadour fue presentada al rey oficialmente, hizo las inclinaciones y reverencias que marcaba el protocolo y pronunció unas pocas palabras:

—Estaré siempre al servicio de su majestad.

Lo cual podía entenderse de muchas maneras. La reina, a quien también la Pompadour fue presentada, la acogió con benevolencia, cosa que no hicieron los hijos del rey quienes desde entonces en adelante la llamaron «mamá puta» o «la señora puta». Como se ve, el lenguaje de la corte en aquellos tiempos era bastante libre.

Algunos días después de la presentación, la Pompadour fue a Choisy en compañía del rey. Éste se puso enfermo y, contraviniendo todas las previsiones, la reina sentó a su mesa a la favorita.

En realidad a la reina le importaba muy poco quién

fuese la amante de su marido. Estaba acostumbrada a ver pasar una tras otra a las damas de la corte y le hizo una cierta gracia que esta vez fuese una burguesita la que sustituía a las aristocráticas damas que la habían precedido. Por otra parte no pudo prever la influencia que después tendría la nueva favorita. Debió de pensar que era un capricho pasajero como tantos otros. Pero en esto se equivocó.

La Pompadour fue una amante muy especial. Ya he dicho que se afirmaba que era frígida. Muchas prostitutas lo son, pero saben fingir —es su oficio— y si se añade a ello que en ningún momento pierden la cabeza, aunque lo simulen, dicho está que son, en cierto punto, más peligrosas que otras mujeres más sensuales que ellas.

Indiscutiblemente madame de Pompadour era una advenediza, la simple hija de un señor Poisson que carecía de todo refinamiento, o por lo menos del que era necesario para brillar en la corte. Pero, como era muy inteligente, poco a poco fue puliendo su lenguaje y sus maneras hasta hacer olvidar su humilde origen. Sin embargo, los comienzos fueron difíciles. El mismo rey se sentía molesto y solía decir como para justificarse:

—Si hay que educarla, yo me entretendré en ello.

La corte se dividió en dos grandes bandos. De un lado había el bando tradicional y clerical, entre los que se encontraba el confesor del rey, que atacaba sin piedad a la nueva favorita. Uno de sus puntales era el ministro Maurepas, quien tenía práctica en ello pues había sido enemigo sistemático de todas las amantes del rey, no por razones morales, sino porque se inmiscuían en los asuntos del estado.

Por otro lado, y cada vez más numeroso, estaba el grupo de los partidarios de la Pompadour. En él figuraban los que pretendían abrirse paso fuera como fuese en la corte y, poco a poco, los intelectuales y artistas que, en todo tiempo y cada vez más, recibían la protección de la favorita.

No se debe olvidar la habilidad de la Pompadour, que desde que fue presentada a la reina no desperdició una sola ocasión de hacerse grata. La murmuración no había cesado ni ante las gradas del trono y la misma reina era víctima de ella. La Pompadour hizo lo posible para desvanecer la prevención que el rey tenía contra su esposa. El monarca lo agradeció y desde entonces se mostró menos descortés con ella, hasta el punto de compartir con la reina su mesa de juego, cosa que no había hecho jamás, y regalarle el primero de enero de 1741 una cajita de oro para rapé con un reloj incrustado en el centro.

La Pompadour vivía en Versalles en un pequeño apartamento compuesto de una antecámara, una cámara o salón, un comedor, una alcoba y una habitación para el servicio de mesa.

Luis XV llegaba a las habitaciones de madame de Pompadour muy de mañana, permanecía con ella hasta la hora de la misa, volvía después del oficio divino, comía una sopa o un trozo de asado y no se retiraba antes de las seis de la tarde.

Podrá extrañar esta mezcla de vicio y religión. Era muy frecuente en aquella época, y como muestra la anécdota siguiente es muy reveladora.

Un día Luis XV estaba con una de sus amantes y rechazó una cena porque en ella se le servía carne siendo día de vigilia. La dama le dijo:

—Señor ¿qué importa esto si vamos a pasar la noche juntos?

—No añadamos un pecado más al que vamos a cometer —respondió el rey.

La característica principal de Luis XV no era la lascivia, a pesar de todo, sino el aburrimiento. La Pompadour tuvo que luchar contra este tedio que embargaba al rey y en el que el amor sólo era un fugaz remedio. La favorita se daba cuenta de que el más bello y más raro triunfo de una mujer no es conquistar un amante, sino retenerlo.

Por una crónica de la época sabemos que «la señora era fría para el amor hasta el exceso y trató de despertar su helada naturaleza tomando chocolate perfumado con triple vainilla, trufas y menestras de apio», lo cual no fue muy bueno para su salud.

Un día dijo a su amiga madame de Brancas:

—Tiemblo ante la idea de perder el corazón del rey al dejar de gustarle. Los hombres, como debéis de saber, dan mucha importancia a ciertas cosas y yo tengo la desgracia de ser de un temperamento muy frío.

La señora de Brancas le recomendó que hiciese lo posible para que el rey se encontrase a gusto con ella hablándole y distrayéndole, pues los hombres se cansan pronto en la cama y menos en el salón.

En el fondo, la duquesa de Brancas sabía perfectamente que en la mayoría de los hombres la vanidad está por sobre de la voluptuosidad. Si una mujer quiere halagar un hombre después del acto amoroso no debe preguntarle

«¿has gozado?», sino decirle «¡cómo me has hecho gozar!»; esto halaga al gallito vanidoso que anida en todo corazón masculino.

Madame de Pompadour se hizo indispensable para el rey; ocupaba todo su tiempo y no le abandonaba en ningún momento. Cuando algún ministro entraba a despachar con el monarca, observaba el rostro de éste y en cuanto veía en él los primeros signos de fastidio le interrumpía y los hacía salir.

El mariscal duque de Richelieu refiere que un día, mientras Maurepas le leía un informe, el rey en vez de escucharle reía con la Pompadour, por lo que el ministro al darse cuenta interrumpió la lectura.

—Continuad, os entiendo muy bien —dijo el rey.

Pero la favorita intervino diciendo:

—Señor de Maurepas, ha hecho usted que el rey se aburra. Hasta luego, señor Maurepas.

Y el ministro entendió la indirecta tan directa y tuvo que marcharse.

Todo ello se comentaba en palacio y el grupo enemigo de la favorita se aprovechaba de ello para lanzar flechas y venablos contra ella. Estas murmuraciones y estos ataques llegaban al pueblo, que al comentarlos los aumentaba haciendo de madame de Pompadour la bestia negra de la monarquía. Se le reprochaba el lujo insolente que exhibía y los cuantiosos gastos que al tesoro real costaban sus caprichos.

No era tarea fácil la de la marquesa. El rey se mostraba a veces taciturno y silencioso y las mujeres saben muy bien que en aquel momento el hombre se les escapa, por ello la favorita procuraba hablar y distraer su humor melancólico y, cosa rara en las mujeres pero no tan rara en las mujeres que aman y por ello adivinan lo que place al hombre amado, sabía dosificar sus palabras y sus silencios.

Luis XV hablaba mucho de la muerte, como persona que la temía, y a veces tenía caprichos macabros. Un día, yendo en coche con madame de Pompadour y la mariscala de Mirepoix mandó parar, llamó a un caballerizo y le dijo:

—¿Veis aquel pequeño montículo? Hay cruces y seguramente debe ser un cementerio. Id y ved si hay alguna fosa reciente.

El caballerizo obedeció y dijo al rey:

—Señor, hay tres fosas recién cavadas.

—En verdad —murmuró la mariscala de Mirepoix— que es como para hacerse la boca agua.

Y madame de Pompadour volvió la cabeza llena de horror.

Luis XV era un morboso hipocondríaco siempre pesimista y con un marcado gusto por lo macabro. Cuando un ministro le presentaba un proyecto, fuese cual fuese, su primer impulso era oponerse a él temiendo siempre lo peor. Ni que decir tiene que muchas veces tenía razón, pero no siempre.

El príncipe de Croy cuenta algún detalle curioso de la vida privada del rey explicando una de las cenas a la que asistió madame de Pompadour:

«No fuimos servidos más que por dos o tres criados del guardarropa, que se retiraron después de habernos puesto delante todo cuanto pudiéramos necesitar. La libertad y la decencia me parecieron muy bien observadas: el rey estaba alegre, libre, pero siempre sin olvidar su altivez; no me pareció tímido, sino de trato corriente, hablando bien y mucho, divirtiéndose y sabiendo divertirse. Parecía muy enamorado de madame de Pompadour, sin cohibirse en este sentido, sacudiendo todo reparo y siguiendo su idea fija quizá porque se hallaba aturdido. Me pareció muy enterado de las cosas menudas y los pequeños detalles, pero no se arriesgó a tratar de cosas de importancia. La discreción nació con él; no obstante algunos creen que en la vida privada todo se lo comunicaba a la marquesa... Me pareció que le hablaba con demasiada libertad, como a querida a quien amaba, pero con quien quería divertirse, y ella se condujo muy bien, con mucho sentido, aunque el rey quería ser siempre el dueño absoluto y se conducía con firmeza en este punto... Estuvimos dos horas a la mesa, con gran libertad y sin ningún exceso. Después el rey pasó al saloncito y calentó y se sirvió él mismo su café, pues ningún criado apareció allí y cada uno se servía de por sí. Formó una partida de cometa con madame de Pompadour, Coigny, madame de Brancas y el conde de Noailles; pequeño juego; al rey le gustaba, mientras que madame de Pompadour lo odiaba y trataba de alejarse; el resto de invitados hicieron dos partidas, pequeño juego. El rey mandó a todos que se sentasen, aun a los que no jugaban; yo permanecí apoyado contra la mampara de la chimenea, viéndole jugar. Madame de Pompadour se dormía, y como le dijese que era hora de retirarse, a la una se puso en pie, y a media voz y alegremente, dijo:

»—¡Vamos a acostarnos!

»Las damas hicieron una reverencia y se marcharon;

el rey también hizo la reverencia y se encerró en sus habitaciones y todos bajamos por la escalera de madame de Pompadour, a donde da una puerta, y regresamos por los salones a acompañarla mientras se acostaba, acto que ordinariamente era público, lo cual hizo en seguida...»

Al propio tiempo que distraía al rey, madame de Pompadour no dejaba de tener atenciones para con la reina, cosa que nunca habían hecho las demás amantes del rey. Procuraba que éste visitase con asiduidad los aposentos de la reina y le animaba a mostrarse respetuoso e incluso galante con ella. Una vez, mientras los reyes estaban en Choisy, la Pompadour hizo limpiar las habitaciones de la reina en Versalles quien a su vuelta las encontró embellecidas, pues los dorados de la cámara aparecían pulidos y brillantes como nuevos, las paredes estaban adornadas con nuevos tapices y lo que era una sencilla cama de barrotes había sido sustituido por un lecho elegante y señorial cubierto de seda encarnada.

A todo esto únase el hecho de que madame de Pompadour reúne a su alrededor un grupo de intelectuales, filósofos, poetas, autores teatrales, científicos, etc., que dan relieve a sus reuniones. Es ella la que recibe a Voltaire, Marmontel y a los autores de la *Enciclopedia*. Hizo instalar un pequeño teatrito en el que se representaban obras de los autores contemporáneos y clásicos, empezando por el *Tartufo* de Molière. Se comentó que este teatro había costado millones cuando en realidad no había pasado de una cantidad muchas veces inferior. Participar en estas comedias era ambición de todas las personas de la corte, y madame de Hausset narra a este propósito un rasgo muy curioso.

«En la época en que se representaban comedias en los Reservados obtuve por un medio bien singular una plaza de lugarteniente del rey para uno de mis parientes, que prueba el alto precio que ponían los grandes señores por un pequeño acceso a la corte... La señora no quería pedir ningún favor a monsieur D'Argenson. Hostigada por mi familia, que no concebía que me fuese difícil conseguir para un militar de poca graduación un pequeño mando, resolví dirigirme directamente al conde D'Argenson.

»Le expuse mi petición y le dejé un memorial. Me recibió fríamente y me despidió con vagas palabras. Al salir, me siguió el marqués de Voyer, hijo del conde, el cual, desde su habitación, había oído a su padre.

»—Deseáis una comandancia —me dijo—. No hay más que una sola vacante, que me ha sido prometida para uno de mis protegidos; pero si queréis que hagamos un cambio de favores, y hacéis que yo obtenga uno, os la cederé. Yo quisiera ser «exento de policía», y en vuestras manos está el que yo obtenga esa plaza.

»—No concibo broma semejante —le contesté.

»—Ved de qué se trata. Va a representarse *Tartufo* en los Reservados. Hay un papel de «exento de policía», que tiene muy pocos versos. Si obtenéis de la señora que yo represente dicho papel, la comandancia será para vuestro pariente.

»Yo no prometí nada, pero conté a la señora lo sucedido. La cosa se hizo; y obtuve la plaza para mi pariente y monsieur de Voyer dio las gracias a la señora con la misma gratitud que si le hubiera hecho duque.»

El papel de la favorita no era precisamente fácil, pues a pesar de todo el rey no la era fiel. Tuvo aventuras con la condesa de Choiseul y el ministro D'Argenson encargó a su propia amante madame de Estrades que conquistase al rey. Ninguna de ellas tuvo éxito. Hicieron el amor con el monarca y éste no se acordó más de ellas.

Cada noche, a las diez, la Pompadour se reunía con Luis XV. Lo sabía todo el mundo, incluso la reina. Una noche madame de Pompadour jugaba con ella a las cartas cuando en un reloj del salón sonaron las diez. Con gran confusión, la favorita pidió permiso para ausentarse. La reina sonrió con bondad.

—Id, ya es la hora —fue todo lo que dijo.

Madame de Pompadour hizo una reverencia a la reina y fue a acostarse con el rey.

La favorita dominaba al rey en todos los terrenos, incluido el político. Hacía y deshacía ministros. Se decía que Maurepas era el autor de ciertos epigramas contra ella y la Pompadour decidió enfrentarse directamente con el ministro y le visitó en su despacho:

—Después se dirá que envío a buscar a los ministros. Esta vez he venido yo a buscaros. ¿Cuándo se descubrirá al autor de estos epigramas contra mí?

—Cuando lo sepa os lo diré, señora.

—Poco caso hacéis de las amigas del rey.

—Señora, siempre las he respetado, fuesen de la clase que fuesen.

La respuesta era hábil pero la favorita, indignada, consiguió la destitución del ministro.

Una vez que hubo alcanzado el poder sobre el rey, la Pompadour se dedicó a proteger a su familia. Primero pensó en su padre, en su padre oficial cuya bajeza y ordinariez le hacía sufrir constantemente. El señor Poisson se regodeaba en subrayar la situación anómala de su hija a quien un día fue a visitar; apartó al criado, que no le conocía y le impedía el paso, diciéndole:

—Botarate, yo soy, para que te enteres, el padre de la barragana del rey.

Otro día, en una reunión con tres financieros, incitado por el vino, se puso a reír y dijo:

—¿Sabéis de qué me estoy riendo? Pues de verme reunido aquí con vosotros en medio de tanto lujo. Vos, señor de Montmartel, sois hijo de un tabernero; vos, señor de Salavette, sois hijo de un vendedor de vinagre, y vos, Bouret, hijo de un lacayo. Lo sabe todo el mundo así como que yo soy el padre de una puta.

La Pompadour hizo que a su padre se le concediese el señorío de Marigny; el hombre vivió hasta el 1754 a la edad de 70 años llevando una existencia de hombre cínico, satisfecho y dado a los placeres del vino.

El hermano de la Pompadour era todo lo contrario de ella: inteligente, guapo y tímido. Su modestia era tan grande que cuando le concedieron un título de marqués al principio rehusó usarlo, y se quejaba de ver que por ser el hermano de la favorita real, nobles y personas importantes le adulasen. Fue nombrado subconservador de los reales palacios y la Pompadour le mandó más tarde a Italia para que se familiarizase con el arte. Ella quería mucho a su hermano e hizo todo lo posible para aconsejarle y para otorgarle todos los honores que podía, algunos de los cuales él rechazó por creer que no era apto para ellos. Gesto que le honra.

De su matrimonio, la Pompadour había tenido una hija, Alejandrina, para la que deseaba un matrimonio espectacular. Pensó en un momento en casarla con el duque de Lac, hijo del rey y de la marquesa de Ventimille, pero Luis XV desvió la conversación que sobre ello tenía la Pompadour y ella comprendió que la cosa no era del agrado del monarca. Buscó otros posibles enlaces, pero no hubo tiempo para nada puesto que la pequeña Alejandrina moría de una peritonitis a los diez años de edad.

El tiempo iba pasando y el ascendiente de la Pompadour iba en auge en el terreno cortesano pero no en el personal. No gozaba de buena salud y ello mermaba cada vez más sus encantos físicos. La favorita veía con espanto que se acercaba el día en que el rey se cansaría de ella. Le buscó otros entretenimientos y conociendo la lascivia del rey buscó, ya que ella había perdido su encantos, a otras mujeres que la sustituyesen en los orgasmos reales. Claro está que ello ofrecía una dificultad grande y era la de que estas mujeres pudieran sustituirle en el cargo de favorita real. Pero el rey también envejecía y su vida crapulosa le hacía más viejo todavía, y como todos los viejos libidinosos apetecía carne fresca. La Pompadour se dio cuenta que favoreciendo este gusto senil tenía todas las de ganar, puesto que las jovencitas inexpertas que podía llevar al lecho real no le harían sombra en el salón, en donde no podían ser presentadas, ni en la política, de la que no sabían nada.

Al parecer la primera de las muchachas de que se sirvió la Pompadour fue una tal Morphi. Louison Morphi era amiga nada menos que del célebre aventurero Casanova, quien nos explica en sus memorias cómo la conoció:

«Encontrándome en la feria de San Lorenzo con mi amigo Patu, éste tuvo la idea de que cenásemos con una actriz flamenca llamada la Morphi. La muchacha no me interesaba, pero ¿cómo negar tal favor a un amigo? Hice lo que él quería. La Morphi tenía una hermana, una mocita de trece años llamada Elena...

»Blanca como un lirio, Elena reunía cuanto de más bello pueda imaginar un pintor. Sus líneas eran tan suaves que producían una sensación de felicidad y una deliciosa calma. Era rubia, pero sus ojos tenían el fuego de los más bellos ojos negros.

»Un pintor alemán me hizo un magnífico retrato de ella por el precio de seis luises. El artista, que era diestro y tenía muy buen gusto, la pintó con tal maestría y veracidad, que no se podía pedir nada más admirable. Yo estaba satisfechísimo de aquel retrato. Escribí bajo él: *O-Morphi*, expresión que, aunque no sea de Homero, no por ello es menos griega, y que significa: "bella".

»Mas ¿quién puede adivinar los designios secretos del destino? Mi amigo Patu quiso tomar una copia de aquel retrato. No era cosa de negar tan pequeño servicio a un amigo, y encargamos al mismo pintor que la hiciese. Poco después, habiendo sido el pintor llamado a Versalles, mostró, entre todos, una reproducción en miniatura de aquel cuadro suyo, y el señor de Saint-Quentin lo encontró tan admirable, que lo enseñó al monarca. Su majestad cristianísima, gran perito en la materia, quiso comprobar con sus propios ojos si el original respondía al retrato. El señor de Saint-Quentin, amigo complaciente del príncipe y ministro de sus placeres, fue encargado de la tarea, y al efecto preguntó al pintor si la modelo de aquella pintura podía ser llevada a Versalles. Pareciéndole esto al pintor cosa fácil, prometió ocuparse del asunto.

»Vino, pues, a comunicarme la proposición. Como me pareció bien, se la comuniqué a la hermana de la muchacha, que, muy satisfecha, comenzó a lavar a la jovencita. Dos o tres días más tarde, después de haberla vestido decentemente, ambas hermanas salieron, acompañadas del pintor, para realizar el mayor experimento... El ayuda de cámara del ministro tenía ya instrucciones al respecto y recluyó a las dos muchachas en un pabellón del parque, mientras el pintor se instalaba en la posada para esperar la conclusión de aquellas negociaciones. Media hora después el rey entró en el pabellón y preguntó a Morphi si era griega.

»—¿Por qué te ríes?

»—Me río porque os parecéis, como una gota de agua a otra, a un escudo de a seis...

»La ingenuidad de la muchacha hizo prorrumpir al rey en una gran carcajada. Luego le preguntó si le gustaría quedarse en Versalles.

»—Depende de mi hermana —dijo la pequeña.

»La hermana se apresuró a manifestar al rey que no deseaba otra cosa sino tan inmensa fortuna. El rey se fue, pero un cuarto de hora después el señor de Saint-Quentin apareció, instaló a la pequeña en un departamento, dejándola a cargo de una mujer, y, acompañado de la hermana mayor, fue a reunirse con el pintor, a quien se le dieron cincuenta luises por el retrato y nada a la Morphi. Tomó sólo su dirección y le prometió que le daría noticias suyas; en efecto, al día siguiente le envió mil escudos.

»La joven y bella O-Morphi —porque el rey la llamó siempre así— gustó al monarca más aún por sus gentilezas y por su ingenuidad, que por su rara belleza, la más correcta que yo haya visto jamás. La instaló en un departamento del Parc aux Cerfs, verdadero harén de aquel voluptuoso monarca, donde a nadie se le autorizaba la entrada...

»La Morphi cayó en desgracia tres años después, pero el rey, al despedirla, le regaló cuatrocientos mil francos, que ella aportó como dote a un oficial bretón con quien se casó.

»En 1783, encontrándome en Fontainebleau, trabé conocimiento con un gentil joven de veinticinco años, fruto de aquel matrimonio y verdadero retrato de su madre, cuya historia ignoraba absolutamente, y que yo no creí necesario relatarle. Le di mi nombre y le rogué que presentara mis respetos a su mamá.

»La desgracia de la bella Morphi fue ocasionada por una mala acción de la señora de Valentinois. Esta dama, conocidísima en París, dijo a la joven que si quería hacer reír al rey no tenía que hacer más que preguntarle cómo trataba a su vieja esposa. La muchacha, demasiado ingenua para adivinar la malignidad del consejo, hizo la pregunta a Luis XV, quien, furioso, la increpó:

»—¡Desgraciada! ¿Quién os ha aconsejado preguntarme tal cosa?

»La pobre O-Morphi, más muerta que viva, cayó a sus pies y le confesó la verdad. El rey se separó de ella y no volvió a verla más.

»La condesa de Valentinois no compareció en la corte hasta dos años después.

»Este monarca, que sabía muy bien como hombre lo mal que se comportaba con su esposa, quería ignorarlo como rey, y ¡ay de quien faltara a la reina!...»

La Pompadour pasaba de ser amante para convertirse en su amiga y en su proveedora de carne fresca. Así nació con visos de verosimilitud la leyenda del Parque de los Ciervos que tanta importancia tuvo al final del Antiguo Régimen, durante la Revolución francesa y el Romanticismo. La casita así denominada estaba en el número 4 de la calle Saint-Méderic, en Versalles. En su planta baja se hallaba una gran cocina, un cuarto de aseo, una cochera y una cuadra para un solo caballo. Por una escalera de madera se sube al único piso de la casa en el que se encuentra un salón con una alcoba y un gabinete adyacente, luego otra alcoba y otro gabinete. No hay lujos de ninguna clase pues todo está pintado de color gris claro. Qué lejos está esta realidad de las fantasías que han hecho escribir a ciertos historiadores de un pequeño palacio que había costado cien o ciento cincuenta millones de francos, un pretendido castillo siniestro en el que gruesas puertas ahogaban los gritos de las víctimas de la lubricidad del rey, víctimas que algunas memorias cifran en mil ochocientas. ¿Cómo puede imaginarse que un hombre de cuarenta y tantos años precozmente avejentado pudiese lidiar con tal rebaño de inocentes víctimas?

En realidad, aunque no se sabe cuántas muchachas pasaron por esta casita, lo que sí se sabe es que no pasaban de una o dos a la vez, vigiladas por una ama de llaves que figuraba como intendente en los gastos del rey.

Sabemos nombres de algunas de las pensionistas, como

las señoritas Fouquet, Hénault, Robert, Nicquet, Tresson. De una de ellas, que quedó embarazada y que dio a luz en una casa de la avenida de Saint-Cloud, sabemos que era muy bella, muy elegante, muy alegre y muy ingenua. Se le regaló un broche de diamantes y preguntó:

—¿Cómo está el señor conde?

Pues el rey se hacía pasar por conde polaco.

—Sentirá mucho no encontrarse a mi lado pero sé que se ha visto obligado a viajar a su país.

Dijo también que su madre era viuda y pobre y que el señor conde había salvado a la familia dándole mil quinientas libras de renta y seis mil francos en dinero contante. Madame de Hausset, que hacía de intermediaria entre el rey y las pensionistas del Parque de los Ciervos, explica:

«Seis días después dio a luz. Siguiendo mis instrucciones me dijeron que había sido una niña, aunque en verdad fue un varón, y poco después debían decirle que su hija había muerto a fin de borrar todo rasgo de su existencia durante cierto tiempo. Más tarde ya sería devuelto a su madre. El rey daba siete u ocho mil libras de renta a cada uno de sus hijos. Heredaban los unos a los otros a medida que se iban muriendo; los fallecidos eran ya seis o siete.»

La muchacha en cuestión fue casada en provincias con cuarenta mil escudos de dote y algunos diamantes.

Alguna muchacha descubrió la verdad y fue encerrada en un manicomio, donde se le quiso hacer creer que sufría alucinaciones y que todo lo había soñado.

Este cruel comportamiento no parecía tal ni al rey ni a madame de Pompadour, quienes, al contrario, creían que actuaban con gran bondad.

Una muchacha hubo que por un momento parecía que iba a desbancar a la Pompadour. Era Ana de Coupiers de Romans, hija de un abogado de Grenoble. La muchacha quedó encinta y trajo al mundo un niño del que no consintió separarse y que fue bautizado con el nombre de Luis Amado Borbón, como hijo de Carlos de Borbón, capitán de caballería.

Un día, paseando por los jardines de Versalles, la Pompadour se hizo la encontradiza con Ana de Coupiers y admiró mucho al niño preguntando quién era su padre, a lo que respondió la muchacha diciendo que era alguien muy importante que sin duda le sería conocido. La Pompadour tuvo miedo de esta nueva rival pero pronto se tranquilizó porque Ana era más bien sosa y sin ninguna gracia en la conversación, lo que al poco tiempo aburrió al rey. El desenlace de la aventura fue cruel. Luis XV hizo raptar al niño, que se educó lejos de su madre y que más tarde fue, tras una juventud desgraciada, el abate de Borbón, protegido por Luis XVI y con grandes éxitos femeninos.

Ana fue casada a la fuerza con un tal monsieur De Cavanhac y desapareció del libro de la historia.

En esto, la tarde del 5 de enero de 1757, cerca de las seis de la tarde, cuando el rey se dirigía a la carroza que debía conducirle al Trianon donde debía pasar la noche, en las puertas de palacio un hombre abriéndose camino entre los cortesanos y los soldados se lanzó contra el rey blandiendo un cuchillo. La herida que le causa es tan leve que el cirujano La Martinière dice que el rey podrá reanudar sus ocupaciones habituales al cabo de tres días. Pero el rey se asusta, permanece en cama y pide un confesor, que pasa tres cuartos de hora con el monarca. Por la noche tiene que quedarse en la cámara regia reclamado a cada instante por el enfermo, los cortesanos se reúnen, los ministros acuden a Versalles y madame de Pompadour, olvidada en sus habitaciones, no cesa de llorar.

Luis XV no pronuncia su nombre en ningún momento, el miedo a la muerte le hace olvidar su amistad y su afecto. Un ministro entra en la habitación del rey; una hora después entra en el gabinete de la marquesa. Todo el mundo está a la espera de lo que va a pasar. ¿Continuará en palacio? ¿Será despedida? Cuando el ministro sale, el abate de Bernis entra en el gabinete de laca roja de la marquesa que, sollozando, exclama:

—Tengo que partir —y casi se desmaya.

Pero una amiga fiel de la Pompadour, madame de Mirepoix, le invita a reflexionar.

—No olvidéis que quien abandona la partida, la pierde. El ministro D'Argenson está en contra vuestra y se aprovecha de la debilidad del rey en este momento. Retrasad vuestra partida el mayor tiempo posible.

Así se hizo, y pasado el susto pasó también el arrepentimiento del rey, que a los pocos días volvía a frecuentar las habitaciones de la Pompadour. Y D'Argenson fue desterrado. Por el contrario, el abate Bernis fue nombrado ministro, luego embajador, y llegó a cardenal, pero conoció a su vez más tarde la amargura de la desgracia en el favor del rey.

El 26 de marzo el regicida fue condenado a muerte, y antes de la ejecución se le sometió a un interrogatorio de cinco horas. Afirmó que no tenía cómplices y dijo que había decidido el atentado para evitar el escándalo de un rey sometido a los caprichos de una concubina. En la ejecución concurrieron detalles horribles, pues se le cortó la mano en la que había llevado el cuchillo con el que había herido al rey y después fue descuartizado vivo. La plaza de la Grève estaba atestada de gente y se pagaron altísimos precios para ocupar las ventanas y azoteas que la dominaban. Un cronista dice que «las mujeres, tan sensibles, tan compasivas, asistieron al suplicio con los ojos secos, sin testimoniar la más leve emoción, mientras que los hombres desviaban las miradas y se estremecían».

Pero el fin de la Pompadour se acercaba cada vez más; enferma, arrojaba sangre por la boca y vivía atormentada por escalofríos alternados con violentos accesos febriles. A pesar de ello continuaba asistiendo a recepciones y banquetes. Pero un día ya no pudo más y sintiéndose morir, serena e impasible, el 15 de abril de 1764 dictó un codicilo a su testamento y dirigiéndose al confesor que tenía a su lado le dijo:

—No os vayáis, padre, nos iremos juntos.

La sentaron en una butaca y allí murió.

El rey aplazó aquel día un banquete de gala que debía celebrarse. Sabía dominar sus sentimientos y así lo hizo. Algunos historiadores narran que cuando vio pasar el entierro de la marquesa de Pompadour bajo la lluvia dijo:

—Mal tiempo tiene la marquesa para su último paseo.

Tal vez lo dijo, pero un cronista narra lo siguiente que prueba que la muerte de la Pompadour le afectó profundamente:

«El rey estaba enterado de la hora de los funerales. Eran las siete de la tarde. Hacía un tiempo espantoso. El rey tomó el brazo de Chamfort. Cuando estuvo en su aposento cerró la puerta y salió al balcón. En religioso silencio estuvo contemplando cómo se alejaba el cortejo fúnebre y a pesar del mal tiempo, a cuyas injurias parecía insensible, permaneció en el balcón hasta que el entierro hubo desaparecido. Entonces volvió a entrar en el aposento. Dos gruesas lágrimas se desprendían de sus ojos. No dijo a Chamfort otras palabras que: "Es el único homenaje que puedo rendirle."»

Año 1776

De cómo un amor total puede llenar una vida aun en la ausencia del ser amado

JULIA DE LESPINASSE O MORIR DE AMOR

Éste es el título de una biografía escrita por Jean Lacouture y Marie-Christine d'Aragon de una de las más interesantes figuras femeninas del siglo XVIII francés. Es una historia de amor ardiente que envuelve toda la vida de una persona y que queda plasmada en las más bellas cartas de amor que se han escrito jamás.

El 10 de noviembre de 1732 Ambroise Basiliac bautizaba a una niña, Julia Juana Leonor de Lespinasse, hija legítima de Claudio Lespinasse, burgués de Lyon, y de la señora Julia Navarre, su esposa. Algunos años más tarde una mano desconocida añadía una i a la palabra legítima, borraba las palabras «su esposa» y trazaba en el margen del libro de bautismo una cruz, signo de los nacimientos ilegítimos.

Ni el señor Lespinasse ni su esposa existían y Julia y Claudia eran los nombres de una dama noble llamada Julia Claudia d'Albon, princesa de Yvetot, marquesa de Saint-Forgeux.

Pero ¿quién era el padre? La vida de la señora D'Albon no era precisamente ejemplar. Casada a los dieciséis años, el matrimonio duró trece años, al final de los cuales el marido abandonó a su esposa con una hija llamada Diana y un hijo.

En el siglo XVIII, en Francia, el que una mujer tuviese un amante no era mal visto, todo consistía en si era o no era noble o de buena familia; el hecho en sí carecía de importancia. Julia d'Albon tuvo un hijo en 1731, que años después se hizo fraile y desapareció de la historia. Veinte meses después volvía a dar a luz a una niña, que es la que fue bautizada el 10 de noviembre de 1732. Los dos hijos eran de diferente padre; del primero no se sabe nada, del segundo se supo mucho después que era Gaspar de Vichy, pariente lejano de Julia d'Albon. Más tarde Gaspar rompió con su amante en forma dramática pues se casó con su hija Diana. Como se ve, los líos familiares no son invención de las series televisivas actuales. Más todavía. Julia de Lespinasse es acogida por su madre, que cuida de ella hasta su muerte. Pasa entonces a vivir con el matrimonio formado por Gaspar de Vichy y su hermana Diana, es decir, con su padre, que es al propio tiempo su cuñado. La reacción de éste fue incomprensible y brutal. Trata a su hija de forma innoble y desconsiderada, hasta el punto de que en la familia sólo encuentra consuelo en la persona de su medio hermano Abel, hijo de Gaspar y Diana, que toda su vida conservará para Julia un amor sensible y fraternal.

De pronto en este lío familiar aparece un nuevo personaje. Es Maria de Vichy, marquesa du Deffand, hermana de Gaspar. Tenía en París un salón en el que se reunía la gente más refinada de Francia. Era un ambiente elegantemente escéptico, irónicamente vicioso, en el que la virtud era considerada como algo ridículo y el vicio consentido y animado a condición de que fuese frívolo. En este salón se decía por ejemplo: «El marqués de M... es insoportable, acaricia siempre a su esposa ante todo el mundo, siempre tiene algo que decirle, parece que sea su amante y por lo tanto es de un infinito ridículo.» Como puede suponerse, en este ambiente la fidelidad conyugal era un defecto imperdonable y tener una amante una obligación social.

Madame du Deffand se había casado, como es lógico y natural, y, como era natural y lógico, se había separado de su marido. Es célebre la carta que le escribió poco después de su separación: «Amigo: os escribo porque no sé que hacer y no continúo porque no sé qué deciros.» Como correspondencia entre esposos es todo un ejemplo.

Madame du Deffand perdía la vista y coquetamente no quería confesarlo. Cuando llegó a la casa de su hermano Gaspar encontró en Julia de Lespinasse una oyente perfecta y una no menos perfecta lectora. Conocedora del parentesco bastardo que las unía decidió, al volver a París, llevarse a Julia consigo como compañera y amiga. Una amiga un poco especial puesto que madame du Deffand exigía a sus amistades una devoción total y un sometimiento completo a su amistad.

Julia entró así en el salón más refinado de París. No era bella, pero sí atractiva. Era inteligente, sabía escuchar, era culta, sabía intervenir con gracia y acierto en la conversación; era pues un perfecto ornamento en el salón de su protectora, en el que figuraban personajes como el presidente Henault, el marqués D'Ussé, el caballero d'Aydié, hombres de cierta edad para los cuales la gracia joven de la señorita de Lespinasse era un signo de rejuvenecimiento. Algunos jóvenes también tenían acceso al codiciado salón, uno de ellos fue el irlandés Theobald de Taafe, el cual inició un idilio con Julia, al parecer correspondido, pero que fue cortado en seco por madame du Deffand que dio orden a Julia de retirarse durante unos días a su habitación. La medida parecía injusta a la señorita de Lespinasse y, según unos en un intento de suicidio y según otros para calmar sus nervios, tomó unas fuertes dosis de jarabe de opio, lo que le causó trastornos y, lo que es peor, una adicción que le duró toda la vida y que sin duda fue causa de la brevedad de la misma.

Otro personaje importante en el salón y en la vida de Julia fue D'Alembert, personalidad importante en el mundo intelectual, uno de los directores de la célebre *Enciclopedia*, cuyo prólogo escribió y que tal vez es lo más importante de la obra. Era hombre más bien adusto, preocupado por la ciencia y la técnica que, de origen bastardo como Julia, cubría su inferioridad de nacimiento con un profundo escepticismo y un aparente desprecio de la sociedad. Era hijo de la marquesa de Tencin, que lo abandonó en la puerta de una iglesia, siendo recogido por su padre el caballero Destouches. Al ser célebre, la marquesa de Tencin quiso reconocerle, a lo que se negó el joven D'Alembert aduciendo que ahora era él el que no quería reconocer a su madre.

Junto con D'Alembert otros jóvenes solían pasar por la habitación de Julia antes de ir al salón de madame du Deffand, que veía que cada día llegaban más tarde a su reunión; enterada del caso, riñó con Julia de forma muy desagradable, pues lo que menos podía perdonar a su protegida era la competencia a su salón. Julia quiso hacer las paces con madame du Deffand pero ella se negó a ello, lo que produjo la ruptura entre las dos mujeres.

Julia se vio en la obligación de abandonar la casa de madame du Deffand e instalarse por su cuenta, lo que

Cleopatra vista
por Vaccaro en el momento
de su muerte. Como se ve,
está reproducida con
el aspecto femenino que
gustaba en el siglo XVII.

En su «Metamorfosis» Ovidio narra el rapto de Deyanira
por un centauro representado en este mosaico romano.

Los amantes de Teruel
en su alucinante
peregrinación
por fin encontraron
definitivo reposo
en su sepulcro actual.

Un adulterio doble con doble
castigo. (Paolo y Francesca
representados por Ingres.)

Marino Faliero, el Dux
de trágico destino.

El asesinato de Inés de Castro según un antiguo grabado.

Juana la Loca en sus años mozos, cuando aún el desequilibrio mental no se había mostrado en toda su intensidad.

Madame de Montespan contemplando un retrato de Luis XIV.

La marquesa de Pompadour
en el ocaso de su vida.
Ha perdido ya la viveza
y la finura de su rostro
y su figura... pero quien tuvo retuvo.

Mademoiselle de Lespinasse,
la delicada y fina estampa
de una fina y delicada mujer.

Tertulia en casa de madame Geoffrin. Este cuadro de Debucourt fechado en 1755 muestra, un poco teatralmente, el ambiente de las tertulias clásicas del siglo XVIII.

Retrato de lady Hamilton realizado por Schmidt cuando la bella mujer estaba en el apogeo de su vida.

El virrey Manuel de Amat y de Junyent ya al fin de su vida... es decir cuando se casó.

Éste es el palacio que en la Rambla de Barcelona hizo edificar para su esposa. Aún hoy se le conoce como «La Virreina».

Retrato de Maria Walewska,
realizado en 1812
por el barón Gérard.

Madame Tallien, Nuestra Señora de Thermidor, princesa de Caraman-Chimay... Teresa Cabarrús nacida en Carabanchel.

La dama de las Camelias en una acuarela de C. Roqueplan. Su rostro y su aspecto ¿gustarían hoy? Creo que preferiríamos la dama de las Camelias de Greta Garbo.

María Vetsera. Sea cual fuere la razón de su muerte, es la víctima más digna de compasión del drama de Mayerling.

El suicidio del archiduque Rodolfo no ha quedado explicado convincentemente.

Sisí, vista por el cine. ¡Qué bella estaba Romy Schneider! y, como Sisí, tuvo un trágico final.

Virginia Oldoini, condesa
de Castiglione, la rival en belleza
de Eugenia de Montijo, su
superior en temperamento.

Napoleón III, simpático, sensual,
fatuo, rijoso. Una época que Zola
describió maravillosamente
en su «Rougon-Macquart».

Juan y María, o Ramón y Antonia,
o José y Alicia, no importa.
Una pareja que ha envejecido
junta y que, al mirar atrás,
no encuentra más
que recuerdos comunes.

hizo en un modesto segundo piso en la misma calle, en la que había el convento de San José en el que se había instalado desde hacía años su antigua protectora.

Los amigos de Julia abandonaron el antiguo salón para trasladarse al suyo, y no sólo eso sino que, con buen corazón, le ayudaron económicamente para que se instalase con decoro.

Cuando todo parecía ya arreglado, Julia cae enferma de viruela. Amigo solícito, D'Alembert no se aparta de su lado y la cuida con cariño y mimo. De la enfermedad queda con la vista debilitada y con las consiguientes señales en su cara. Cuando se hubo restablecido del todo le toca el turno a D'Alembert de caer enfermo de una fiebre infecciosa; es entonces Julia quien le cuida y al final le convence de que abandone el zaquizamí en que vivía para trasladarse a un piso superior al suyo, más aireado e higiénico. El hecho, que podía haber dado lugar a murmuraciones, no las produjo pues, cosa rara, todo el mundo vio en ello una prueba de sana amistad.

Parecía que entonces se iniciaba para Julia una vida serena y apacible, cuando apareció en su salón un joven español que produjo en el corazón de Julia una impresión indeleble. Era el marqués de Mora, hijo del conde de Fuentes, que a los doce años le habían casado con la hija del conde de Aranda, Pedro Abarca de Bolea. Como es natural no hizo vida marital con su esposa hasta los dieciséis años, pero dos años después se enamoró de una actriz, María Ladvenant, con gran escándalo de la familia, lo que dio lugar a que sus padres le alejasen de Madrid enviándole a Zaragoza, en donde recibió la noticia de que su esposa había muerto al parir un hijo. Cuando el conde de Fuentes fue nombrado embajador de España en Francia se lo llevó con él. Mora tuvo algunas aventuras galantes, como correspondía a su edad, y en el ambiente en el que se encontraba conoció a Julia de Lespinasse, pero no tuvo mucho tiempo de frecuentar su salón porque tuvo que volver a Madrid. De carácter melancólico, debido quizá a la tuberculosis que empezaba a minarlo, coquetea, para distraerse, con la duquesa de Huesca que, curiosamente, se casaría más tarde con el padre de Mora. Se traslada a Barcelona con el grado de coronel y allí se entera de la muerte de su hijo debido a la viruela. Abandona España y otra vez vuelve a París y se encuentra nuevamente con Julia de Lespinasse. Ella tiene treinta y cinco años, Mora veintitrés, y la amistad que les une acaba por transformarse en amor: «fueron las horas más hermosas de mi vida», escribirá más tarde Julia, pero la vida de Mora no va a durar mucho. Viaja de París a Madrid, vuelve a París, retorna a Barcelona, pasa por Valencia en busca de un clima favorable a sus pulmones y regresa otra vez a la capital francesa sabiendo que se despide para siempre de Julia de Lespinasse, quien está convencida de que la felicidad no se ha hecho para ella.

Pero de pronto surge en el salón de Julia un nuevo personaje: es el conde de Guibert. Coronel a los veintinueve años, es hombre inteligente, culto y amable, el cual sugestiona a la señorita de Lespinasse con su comprensión y su afabilidad, que se transforma insensiblemente en amor.

Guibert tiene que viajar, obligado por su profesión, y Julia le escribe con asiduidad unas cartas de amor que son las más bellas quizá que se hayan escrito. Son tan íntimas que Julia pide a Guibert que las destruya una vez las haya leído. Por suerte no hizo caso de las recomendaciones y gracias a ello podemos tener el placer de leerlas con emoción.

El 15 de mayo de 1773 escribía la primera carta. En ella le expresa la emoción que había sentido al verle cuando precisamente estaba hundida en la desesperación.

Entonces habría muerto sin pesar... pero fue entonces cuando te vi, tú has reanimado mi corazón y has hecho que en él entrase de nuevo la alegría. Y no sé qué es más dulce: sentir la alegría o debértela.

En el fondo Julia es una mujer nacida para el sufrimiento; este amor que ha nacido en ella la alegra, como es natural, pero en una de sus cartas no puede dejar de decir:

Tengo una fuerza que me sostiene: es saber sufrir y sufrir mucho sin quejarme.

Guibert la ama, sin duda, pero tiene otras cosas en qué pensar, su profesión, sus viajes, su vida hacen que Julia, que sólo piensa en él, le diga:

La juventud es tan magnánima que da hasta la prodigalidad pero tú te muestras avaro como si fueses viejo o rico.

No me engaño, tú sirves para hacer la felicidad de una alma fatua y el desespero de una alma sensible.

Confiesa que lo que te digo no te desagrada del todo y temo que me perdonarías si te estimase menos y te admirase más.

Tú eres joven, has conocido el amor, has sufrido y de ello deduces que eres sensible. Pero no es cierto. Eres ardoroso y apasionado, serías capaz de hacer todo lo que sea fuerte y grande pero sólo harás cosas impulsivas, acciones, actos aislados.

Y no es así como actúan la sensibilidad y la ternura: unen, atan, llenan toda la vida, dejan sólo espacio a las virtudes dulces y suaves y huyen de la vana brillantez.

Alguien ha dicho que estas palabras son un retrato perfecto de la mayoría de los hombres que se creen enamorados. En efecto, algo hay de ello si se considera la vanidad, tantas veces infantil, del hombre en contraposición con la intensa ternura de que es capaz la mujer, aunque, como dice también Julia de Lespinasse: «La mayoría de las mujeres no necesitan ser amadas, quieren solamente ser preferidas.»

La salud de Julia es débil y muchas veces se sentía desfallecer. Un día escribe a Guibert:

He sido siempre tan desgraciada que hay algo que me dice que moriré en el momento que acabe mi dolor.

He sufrido mucho de la injusticia y la maldad de los hombres, me he visto reducida a la desesperación, pero, debo confesarlo, no hay dolor comparable al de una pasión profunda y desdichada que ha sido suficiente para borrar diez años de suplicio.

Desde que te amo me parece que no vivo. Todo lo que me afectaba y hasta hoy era mi desgracia se ha desvanecido y, a pesar de ello, la gente razonable cree que no tengo otras penas que aquellas que ya no siento. Para ellos las pasiones son dolores ficticios. ¡Dios mío! Es que no aman nada, viven sólo de vanidad y de ambición y yo no vivo más que para amar.

Y es que para Julia de Lespinasse amar se ha convertido en el único objeto de su vida. Debo confesar que me siento plenamente identificado con su manera de pensar. Si santa Teresa dijo que el diablo es aquel que no sabe amar, creo, como he dicho más de una vez, que sólo el amor puede salvarnos en la vida y en la muerte y que tal vez sea posible vivir sin amor, pero entonces no vale la pena vivir.

Te quiero como se ha de amar, con exceso, con locura, con desespero.
Si puedo darte la felicidad no me pesará nada que me robes la mía.

Dicen que en amor la ausencia es una presencia silenciosa y es indiscutible que para el ser que ama, la persona amada no se separa nunca de su pensamiento y de su interior. Pero Julia de Lespinasse va más lejos y escribe a Guibert:

No hay más que la muerte que pueda librarme del dolor de tu ausencia.

En un momento dado llega a descubrir el secreto del amor perfecto cuando dice:

Yo siento positivamente que no soy yo, sino tú, y para serlo no he de hacer ningún sacrificio.

Esta identidad del ser que ama con el ser amado, este saber que yo no soy yo si al mismo tiempo no soy tú, es el secreto del verdadero amor.
A veces un grito de auxilio se escapa de la boca de Julia, sabe que su vida es quebradiza y sujeta a mil enfermedades.

En mi vida no hay más que tristeza, y tú solo, tú solo puedes cambiarlo.

Cae a veces en la desesperación.

La esperanza conserva la juventud. Y cuán viejo se es cuando se ha perdido y queda sólo un pequeño trocito para no desesperarse.
Amar y ser amado es la gloria celestial, pero cuando se ha tenido y se pierde no queda más que morir.
Por favor, dime si te quiero; tú debes saberlo, yo ya no lo sé ni llego a saber nada.
Sólo los desgraciados saben amar. Ya no tengo palabras, tengo gritos.
Tu corazón es apasionado pero no conoce la ternura.

La pasión sólo se manifiesta violentamente con locos impulsos. La ternura es solícita, ayuda y consuela.

Su amor, como todo verdadero amor, es totalitario. No concibe nada fuera de su amor ni le interesa nada que no sea el amor. Vive sólo cultivando su sentimiento amoroso. Ama con las uñas y con los dientes, con sonrisas y llantos, con suspiros, esperanzas y desesperación.

¿Se puede tener necesidad de agradar a otro cuando se es amada? ¿Puede quedar en el corazón un sentimiento o un deseo que no tengan por objeto la persona que se ama y por la cual se querría exclusivamente vivir? Amigo mío, tú no me quieres tanto, ¿no es cierto? La pasión me es natural y la razón extraña.

Como todo amor total, está lleno de dudas, de vacilaciones, de incertidumbres. Sabe que ama, duda a veces de si es amada y no por falta de confianza en el ser querido, sino por desconfiar precisamente de la fuerza del amor. Es tan fuerte y potente que llega a dudar que pueda ser sentido por otro. Todo aquel que ha estado o está enamorado comprenderá perfectamente esta situación.

Casi todo el mundo ama porque es amado.

Entre la alegría de amar y de creerse amada y la melancolía de la separación y de su frágil vida se debaten a un tiempo el sentimiento y la razón.

Me siento triste, la vida me duele.
No hay nada tan noble, justo y honesto como saber someterse a la fortuna adversa.
Siempre estoy deseando verte, siempre me agrada encontrarte y por una inconsciencia que no puede tener otra explicación que mi propia tontería, siempre quedo descontenta de haberte visto.
Sólo temo vivir, me siento tan fuerte y al mismo tiempo tan débil que desde el fondo del corazón te pido que me acabes de hundir o que vengas a socorrerme.
Sólo hay una desgracia que creo no soportable: ofenderte y perderte. Mi pena es que tú no necesitas ser amado como yo sé amar.

Creo que no hay cartas de amor más ardientes y más ferozmente amorosas que estas que transcribo. Son a la vez espejo de amantes y advertencia a los mismos. Amar es no sólo necesario, sino la única razón por la que vale la pena vivir, y esta mujer, consumida por su frágil salud y debilitada por el opio, encuentra en el amor las fuerzas necesarias para seguir viviendo en medio de sufrimientos que a la vez son consuelo porque le permiten expresar el amor inmenso que la invade. Hay un momento en la vida amorosa en que es necesario confesarse a sí mismo que la única razón de vivir es el amor que se siente; ello está en contradicción con la vida que nos rodea, materialista, y que ignora las razones del amor porque no puede comprenderlas. Se puede amar dulcemente pero nunca débilmente y cuando se ama de verdad se da al ser amado todo aquello que no se puede guardar ni retener. Por ello el tormento del amor es doloroso, pero al mismo tiempo tan hermoso que si se tuviese que volver a vivir se escogería vivir en las mismas condiciones. Ello no empece que Julia, amante total, pierda el sentido de la realidad, y así dice una vez a Guibert:

Aunque lo niegues, te gusta más agradar que ser amado.

Y más adelante:

Perdona el sentimiento de orgullo y de venganza que hace que encuentre un íntimo placer en decir que te perdono. Tú sabes que mi corazón no conoce la moderación, tú querrías lo imposible: que te amase pero que la razón dirigiese mis sentimientos.

Podría llenar páginas y más páginas con las cartas de amor de Julia de Lespinasse; quizá ello sería demasiado pesado para todo aquel que no ama o no ha amado.

La vida de Julia de Lespinasse tocaba a su fin, se sentía morir y no sabía qué le dolía más, si el cuerpo o el alma. Su amigo D'Alembert estaba siempre a su lado. Es una triste historia la de este hombre enamorado de Julia y que ignoraba el amor de ella por Guibert. Hasta el fin estuvo a su lado. Cuando sintió Julia que su vida se acababa, escribió una última carta a su amado que terminaba con las palabras:

Adiós, amor. Si hubiese que retornar a la vida quisiera todavía que me sirviese para amarte pero ya no hay tiempo para ello.

Postrada en el lecho, sintiéndose morir, no quiso recibir a Guibert, que esperaba en la antecámara, para no darle el disgusto de verla en la agonía. Dos días estuvo en una semiagonía. En la madrugada del segundo día, haciendo un gran esfuerzo, dijo con voz apenas audible:

—¿Todavía vivo?

Inclinó la cabeza y éstas fueron sus últimas palabras. Dos horas después había muerto, y con ella moría una de las más excelsas historias de amor que figuran en el gran libro de la Historia.

Año 1782

DE CÓMO SE ATRIBUYEN A LOS PODEROSOS AVENTURAS QUE NO TUVIERON Y SE OLVIDAN VIRTUDES QUE POSEYERON

LOS PRESUNTOS AMORES DEL VIRREY AMAT Y SU CURIOSO MATRIMONIO

Don Ricardo Palma fue un distinguido escritor peruano nacido en Lima en 1833 y fallecido en 1919, una de las primeras figuras de las letras hispanoamericanas, autor de *Tradiciones peruanas*, de toda su obra lo más conocido y que más prestigio dio a su nombre. En 1893 y siguientes se editaron estas *Tradiciones* en Barcelona por la editorial Montaner y Simón en cuatro volúmenes, a los que siguieron dos más de «Apéndice» que, aunque interesantes, no llegan a la gracia y galanura de estilo de los cuatro primeros tomos.

En las páginas 327 y siguientes del primer tomo se pueden leer los párrafos siguientes referentes al virrey Manuel de Amat y Junyent, a quien, equivocadamente, llama Juniet.

La capitanía general de Chile fue un escalón para subir al virreinato. Manso de Velasco, Amat, Jáuregui, O'Higgins y Avilés, después de haber gobernado en Chile, vinieron a ser virreyes del Perú.

A fines de 1761 Amat se hizo cargo del gobierno. «Traía —dice un historiador— la reputación de activo, organizador, inteligente, recto hasta el rigorismo y muy celoso de los intereses públicos, sin olvidar la propia conveniencia.» Su valor personal lo había puesto a prueba en una sublevación de presos en Santiago. Amat entró solo en la cárcel; recibido a pedradas, contuvo con su espada a los rebeldes. Al otro día ahorcó docena y media de ellos. Como se ve, el hombre no se andaba con repulgos.

Amat principió a ejercer el gobierno cuando, hallándose más encarnizada la guerra de España con Inglaterra y Portugal, las colonias de América recelaban una invasión. El nuevo virrey atendió perfectamente a poner en pie de defensa la costa desde Panamá a Chile y envió eficaces auxilios de armas y dinero al Paraguay y Buenos Aires. Organizó en Lima milicias cívicas, que subieron a cinco mil hombres de infantería y dos mil de caballería, y él mismo se hizo reconocer coronel del regimiento de nobles, que contaba con cuatrocientas plazas. Llegada la paz, Carlos III premió a Amat con la Cruz de San Jenaro, y mandó a Lima veintidós hábitos de caballeros de diversas órdenes para los vecinos que más se habían distinguido por su entusiasmo en la formación, equipo y disciplina de las milicias.

El virrey, cuyo liberalismo en materia religiosa se adelantaba a su época, influyó, aunque sin éxito, para que se obligase a los frailes a hacer vida común y a reformar sus costumbres, que no eran ciertamente evangélicas. Lima encerraba entonces entre sus murallas la bicoca de tres mil trescientos frailes, y los monasterios de monjas la pigricia de setecientas mujeres.

Para espiar a los frailes que andaban en malos pasos por los barrios de Abajo del Puente, Amat hizo construir el balcón de palacio que da a la plazuela de los Desamparados y se pasaba muchas horas escondido tras las celosías.

Algún motivo de tirria debieron darle los frailes de la Merced, pues siempre que divisaba hábito de esa comunidad murmuraba entre dientes: «¡Buen blanco!» Los que lo oían pensaban que el virrey se refería a la tela del traje, hasta que un curioso se atrevió a pedirle aclaración, y entonces dijo Amat: «¡Buen blanco para una bala de cañón!»

Amotinada en el Callao a los gritos de «¡Viva el rey y muera su mal gobierno!», la tripulación de los navíos *Septentrión* y *Astuto* por retardo en el pagamento de sueldos, el virrey enarboló en un torreón la bandera de justicia, asegurándola con siete cañonazos. Fue luego a bordo, y tras brevísima información mandó colgar de las entenas a los dos cabecillas y diezmó la marinería insurrecta, fusilando a diecisiete. Amat decía que la justicia debe ser como el relámpago.

Licencioso en sus costumbres, escandalizó bastante al

país con sus aventuras amorosas. Muchas páginas ocuparían las historietas picantes en que figura el nombre de Amat, unido al de Micaela Villegas, la Perricholi, actriz del teatro de Lima.

Sus contemporáneos acusaron a Amat de poca pureza en el manejo de los fondos públicos y daban como prueba de su acusación que vino de Chile con pequeña fortuna y que, a pesar de lo mucho que derrochó con la Perricholi, que gastaba un lujo insultante, salió millonario del mando. Nosotros ni quitamos ni ponemos, no entramos en esas honduras y decimos caritativamente que el virrey supo, en el juicio de residencia, hacerse absolver de este cargo hijo de la envidia y de la maledicencia humanas.

En junio de 1776, después de cerca de quince años de Gobierno, lo reemplazó el excelentísimo señor don Manuel Guirior.

La citada Perricholi tenía unos veinte años cuando pisó por primera vez un escenario de Lima, allá por el año de 1760.

¿Fue la Perricholi una belleza? No, si por belleza entendremos la regularidad de las facciones y armonía del conjunto; pero si la gracia es la belleza, indudablemente Miquita era digna de cautivar a todo hombre de buen gusto.

«De cuerpo pequeño y algo grueso, sus movimientos eran llenos de vivacidad; su rostro oval y de un moreno pálido lucía no pocas cacarañas u hoyitos de viruela, que ella disimulaba diestramente con los primores del tocador; sus ojos eran pequeños, negros como el chorolque y animadísimos; profusa su cabellera y sus pies y manos microscópicos; su nariz nada tenía de bien formada, pues era de las que los criollos llamamos ñatas; un lunarcito sobre el labio superior hacía irresistible su boca, que era un poco abultada, en la que ostentaba dientes menudos y con el brillo y limpieza del marfil; cuello bien contorneado, hombros incitantes y seno turgente. Con tal mezcla de perfecciones e incorrecciones podía pasar hoy mismo por bien laminada o buena moza.»

Acababa Amat de encargarse del gobierno del Perú cuando en 1762 conoció en el teatro a la Villegas, que era la actriz mimada y que se hallaba en el apogeo de su juventud y belleza. Era Miquita un fresco pimpollo, y el casi sexagenario virrey, que por sus canas se creía ya asegurado de incendios amorosos, cayó de hinojos ante las plantas de la huanuqueña, haciendo por ella durante catorce años más calaveradas que un mozalbete, con no poca murmuración de la almidonada aristocracia limeña, que era por entonces un mucho estirada y mojigata.

El enamorado galán no tenía escrúpulo para presentarse en público con su querida, y en una época en que Amat iba a pasar el domingo en Miraflores, en la quinta de su sobrino el coronel don Antonio Amat y Rocabertí, veíasele en la tarde del sábado salir de palacio en la dorada carroza de los virreyes, llevando a la Perricholi a caballo en la comitiva, vestida a veces de hombre y otras con lujoso faldellín celeste recamado de franjas de oro y sombrerillo de plumas, que era Miquita muy gentil equitadora.

Amat no fue virrey querido en Lima, y eso que contribuyó bastante al engrandecimiento de la ciudad. Acaso por esa prevención se exageraron sus pecadillos.

Empresario del teatro de Lima era en 1773 un actor apellidado Maza, quien tenía contratada a Miquita con ciento cincuenta pesos al mes. Cierto que la Villegas, querida de un hombre opulento y generoso, no necesitaba pisar la escena; pero el teatro era su pasión y su deleite, y antes de renunciar a él habría roto sus relaciones con el virrey.

Parece que el cómico empresario dispensaba en el reparto de papeles ciertas preferencia a una nueva actriz conocida por la Inesilla, preferencias que traían a Miquita con la bilis sublevada.

Representábase una noche la comedia de Calderón de la Barca *Fuego de Dios en el querer bien* y estaban sobre el proscenio Maza, que desempeñaba el papel de galán, y Miquita el de la dama, cuando a mitad de un parlamento o tirada de versos murmuró Maza en voz baja:

—¡Más alma, mujer, más alma! Eso lo declamaría mejor Inés.

Desencadenó Dios sus iras. La Villegas se olvidó de que estaba delante del público, y alzando un chicotillo que traía en la mano, cruzó con él la cara del impertinente.

Cayó el telón. El respetable público se sulfuró y armó una de gritos: «¡A la cárcel la cómica, a la cárcel!»

El virrey, más colorado que un cangrejo cocido, abandonó su palco; y para decirlo todo de un golpe, la función concluyó a capazos.

Aquella noche, cuando la ciudad estaba ya en un profundo reposo, embozóse Amat, se dirigió a casa de su querida, y le dijo:

—Después del escándalo que has dado todo ha concluido entre nosotros, y debes agradecerme que no te haga mañana salir al tablado a pedir de rodillas perdón al público. ¡Adiós, Perri-choli!

Y sin atender a lloriqueos ni a soponcio, Amat volteó la espalda y regresó a palacio.

Amat pasó muchos meses sin visitar a la iracunda actriz, la cual tampoco se atrevía a presentarse en el teatro, recelosa de la venganza del público.

Pero el tiempo, que todo lo calma, los buenos oficios de un corredor de oreja llamado Pepe Estacio, las cenizas calientes que quedan donde fuego ha habido, y más que todo el amor de padre...

¡Ah! Olvidaba apuntar que los amores de la Perricholi con el virrey habían dado fruto. En el patio de la casa de la Puente-Amaya se veía a veces un precioso chiquillo vestido con lujo y llevando al pecho una bandita roja, imitando la que usan los caballeros de la real orden de San Jenaro. A ese nene solía gritarle su abuela desde el balcón:

—¡Quítate del sol, niño, que no eres un cualquiera, sino hijo de cabeza grande!

Al fin se reconciliaron los reñidos amantes, y la reconciliación se efectuó el 17 de septiembre de 1775.

Pero era preciso también reconciliar a la Perricholi con el público, que por su parte había casi olvidado lo sucedido año y medio antes. El pueblo fue siempre desmemoriado, y tanto, que hoy recibe con palmas y arcos a quien ayer arrojó del solio entre silbos y poco menos que a mojicones.

Maza se había curado con algunos obsequios que le hiciera la huanuqueña el verdugón del chicotillazo; y el público, engatusado como siempre por agentes diestros, ardía en impaciencia para volver a aplaudir a su actriz favorita.

En efecto, el 4 de noviembre, es decir, mes y medio después de hechas las paces entre los amantes, se presentó la Perricholi en escena, cantando antes de la comedia una tonadilla nueva, en la que había una copla de satisfacción para el público.

Aquella noche recibió la Perricholi la ovación más espléndida de que hasta entonces dieran noticias los fastos del vetusto gallinero o coliseo.

Miquita apareció en escena revelando timidez; pero el virrey le comunicó aliento diciéndola desde su palco:

—¡Eh! No hay que acholarse, valor y cantar bien.

Pero a quien supo todo aquello a chicharrones de sebo fue a la Inesilla, que durante el año y medio de eclipse de su rival había estado funcionando de primera dama. No quiso resignarse ya a ser segunda de la Perricholi y se escapó para Lurin, de donde la trajeron presa. Ella, por salir de la cárcel, rompió su contrato... y con él su porvenir.

Manuel de Amat y de Junyent había nacido el 1704 en el pueblo de Vacarisses en la actual provincia de Barcelona. Tenía, pues, 58 años cuando conoció a la Perricholi. A esta edad ya lejana de la juventud y cercana a la ancianidad —ahora se llama la tercera edad cuando se pasa de los 65— se fácil caer en la trampa en que un cuerpo joven puede llevarle a uno a cometer mil tonterías. El viejo, o cercano a serlo, ve en la juventud el rastro de aquella que él ha perdido. Bien está cuando se da cuenta de ello y su actitud no pasa de la admiración. Bien está cuando la contemplación de una mujer joven le hace pensar en recuerdos y no en proyectos. En este último caso se cae en la ridícula vulgaridad del viejo verde o la vieja coqueta que a fuerza de querer disimular su edad llegan a olvidarla ellos mismos. O creen olvidarla. En realidad les atormenta.

Es comprensible pues que el virrey Amat se sintiera atraído por una joven vistosa que a su belleza unía la popularidad de su profesión de actriz. No es necesario que recordemos a ningún personaje actual de los que llenan a profusión cada semana las llamadas revistas del corazón para explicarnos tal atractivo.

Pero ¿fueron realidad estos amores?

Yo así lo creía basándome en la autoridad de Ricardo Palma, miembro correspondiente de la Real Academia de la Historia y director de la Biblioteca Nacional del Perú. Pero he aquí que en 1967 el Museo de Historia de la Ciudad de Barcelona publicó el libro de Alfredo Sáenz-Rico Urbina *El virrey Amat. Precisiones sobre la vida y la obra de don Manuel de Amat y de Junyent*, y en la página 471 del segundo tomo se abre con un capítulo titulado «La leyenda de la Perricholi».

De la lectura de este capítulo se desprende que «las relaciones del virrey con la Perricholi fueron presentadas con las características siguientes: intromisión en el gobierno, templando el duro corazón de Amat; haber tenido un hijo con ella; exhibirse con ambos, ostentando el niño una bandita roja a imitación de la de San Jenaro del padre; llevarla en su cortejo en las excursiones a Miraflores, ya en forlón, ya en balancín, ya a caballo vestida de hombre; darle preferencia en el asiento, la conversación y el respeto de cuantos le rodeaban; el regalo de la calesa para que le luciera en la Alameda el día de la Porciúncula (la misma tarde la donó conmovida a la parroquia de San Lázaro, después de haberla cedido al sacerdote que llevaba el viático); la construcción para ella del suntuoso retiro del Prado, y hasta animarla en alta voz en el teatro, marcando el compás de la canción que interpretaba. En suma, realizar con ella gastos cuantiosos que implicaban el cohecho en gran escala».

Muchas cosas son en verdad, pero no son verdad. Algunas de ellas han pasado a la novela, al teatro y al cine, por ejemplo Prosper Merimée en su «Teatro de Clara Gazul» incluye una pieza titulada *La carrosse du Saint-Sacrement*, que fue aprovechada por Offenbach para su opereta *La carrosse* o *La Perrichole*, y en el cine con *La carroza de oro*, que fue proyectada en diversas pantallas. Todo ello al parecer surgió después que el virrey Amat abandonara su puesto, y no abiertamente, sino por medio de papeles clandestinos. Como muy bien dice Sáenz-Rico: «Resulta contradictorio que los primeros amores del virrey con la Perricholi se fijen desde 1766 hasta 1773 o 1774, pues si nos atenemos a lo dicho por un clérigo del Cuzco... en 1769 la favorita que según la voz pública intervenía en el gobierno de Lima era "Madama Chepita". Precisamente en este año de 1769 es cuando la leyenda de la Perricholi habla del bautizo secreto en la parroquia limeña de San Marcelo del fruto de tales relaciones: un niño que recibe el mismo nombre y apellido que don Manuel de Amat. Mientras no aparezca semejante acta u otro documento probatorio, nos cuesta creer que un virrey, y menos en la situación de Amat, reconociese a un hijo natural, así como que tan asombroso suceso, imposible de mantener en secreto, no escandalizase al Perú y a la corte originando su caída... De haberse producido estos amores de una manera tan escandalosa lo natural era que las denuncias al rey se hubieran efectuado en forma abrumadora hasta conseguir la sustitución del gobernante o por lo menos una reprimenda para que volviera al buen camino... En cambio, no sólo no hubo la menor amonestación, sino que permaneció en el gobierno casi quince años, a pesar de sus constantes peticiones de cese, gozando siempre de la mayor confianza de la corte.»

Era preceptivo que al volver un virrey a España se le siguiese el llamado «juicio de residencia», durante el cual se examinaba minuciosamente su comportamiento tanto público como privado. Pues bien, nada de ello aparece en el juicio que se le hizo al virrey Amat, lo cual induce a pensar que los pretendidos amores con la Perricholi son pura leyenda. Lo cual es una verdadera lástima porque realmente son pintorescos.

Pero lo que es pintoresco y auténtico es el matrimonio de don Manuel de Amat y de Junyent. El virrey se había retirado a Barcelona, en donde vivía tranquilo. Un sobrino suyo llamado Antonio de Amat y de Rocabertí había dado palabra de casamiento a una joven barcelonesa llamada doña María Francisca de Fivaller y de Bru, que acababa de profesar en el monasterio de Junqueras. Nada tiene de extraño esta situación puesto que en la Real y Militar Orden de Santiago de la Espada de Uclés las damas nobles que ingresaban podían salir para casarse. Pero el sobrino del virrey faltó a su palabra y rompió el compromiso y, según dice la leyenda, Amat se sintió indignado y fue a presentar sus excusas a la joven, que contaba veintiún años, y le dijo:

—Siento mucho no ser más joven, pues en este caso sustituiría a mi sobrino. Pero a mis años, del matrimonio sólo os podría ofrecer las cadenas sin ninguna contrapartida.

—Más pesadas son las cadenas del convento —respondió la joven— y las he soportado hasta ahora. Si me ofrecéis vuestra mano la aceptaré con gusto.

Se convino, pues, el matrimonio, que se efectuó por poderes para evitar espectacularidad a un enlace tan desigual en años. Construyó para su esposa, en la Rambla, un palacio que aún hoy se llama de la Virreina y arregló otra propiedad que tenía en la villa de Gracia, en el lugar que hoy ocupa la plaza de la Virreina.

El citado Sáenz-Rico dice que la romántica explicación con que se ha justificado su matrimonio es absolutamente cierta, «pero también que, por debajo de las razones del honor, intervinieron en su decisión los siguientes factores: 1) por cálculo, por cuanto así podía formar un hogar honorable que desvirtuase la estampa de libertino que se había hecho correr, e incluso lograr tal vez la ilusión de un hijo que heredase su nombre y sus bienes; 2) por la cualidad en doña María Francisca en las ocasiones que la trató y a través de los informes que le suministraban sus sobrinas y prima de Junqueras; y 3) por inspirarle gran simpatía aquella joven en la que se reflejaba el drama de sus años mozos y el de sus hermanos y sobrinos —desdeñada, noble y con muchos hermanos—, y verla condenada a marchitarse en el convento».

Un poeta italiano de la época, Pietro Trapassi —más conocido con el sobrenombre de Metastasio— escribió en uno de sus libros:

... L'arido legno
facilmente s'accende
e piu che i verdi rami
avvampa e splende.

(La leña vieja / fácilmente se enciende / y más que las verdes ramas / calienta y brilla.)

El caso es que el viejo Amat estaba enamorado de su mujer; la rodeó de cuidados y lujos, estaba pendiente de todos sus caprichos, que eran pocos porque ella demostró siempre ser mujer sensata. El matrimonio fue ejemplo de amor y de fidelidad. Fue respetado por todos los ciudadanos barceloneses, que tal vez en un principio se rieran de la desigualdad de años pero que vieron después una compenetración y un amor mutuo verdaderamente ejemplares.

El virrey Amat murió el 14 de febrero de 1782. Su muerte fue muy sentida por el pueblo, hasta el punto que fue preciso colocar unas barreras de madera delante del palacio de la Rambla para contener a la gente que se apiñaba ante la puerta. El entierro, que el virrey había dispuesto que se celebrase sencillamente, se efectuó el día 16 y fue presenciado por infinidad de personas.

La virreina no volvió a casarse, puesto que decía que jamás encontraría hombre tan digno, honesto y honrado amante y buen marido como el virrey Amat.

Murió el 3 de octubre de 1791 en la iglesia de la Merced en un día de acción de gracias de la novena en honor de la Virgen.

El pueblo barcelonés ha conservado su recuerdo en el nombre del palacio y de la plaza antes citadas.

Año 1815

De cómo por amor se puede subir de la nada a lo más alto y descender después hasta la nada

LADY HAMILTON O LAS MUDANZAS DE LA FORTUNA

Emma Lyon tiene quince años. Más que bonita es maravillosa. Hija de un herrero y de una criada, Emma ha trabajado desde su más tierna infancia. La madre ha tenido que colocarse como sirvienta en casa de lord Halifax, y Emma, de tres años, juega en el patio o en las cuadras con los hijos de los otros criados. Hay un no sé qué en ella que la distingue de los demás. Una finura en su cara, una incipiente coquetería en el moverse, coquetería innata, pues a su edad no puede ser de otra manera. Cuando se viste o se disfraza busca instintivamente las ropas más finas y los chales menos remendados.

Pero a los doce años tiene que ponerse a trabajar y entra en casa de Honoratius Thomas, un pequeñoburgués, felizmente casado, sin hijos, que ve en Emma una posible hija adoptiva. Si ello hubiese sucedido, la historia habría perdido una heroína de las historias de amor, pero Emma habría encontrado tal vez una burguesa felicidad y una vida serena.

Un día llegó a casa de los Thomas la madre de Emma que había decidido abandonar la casa de lord Halifax para ir a buscar mejor medio de ganarse la vida en Londres. Como es natural, se llevaba a su hija, que tenía ya catorce años.

En Londres la madre de Emma coloca a su hija como doncella en casa de un compositor llamado Linley, asociado con el director del teatro de Drury-Lane. En este teatro Emma ve por primera vez cómo se desenvuelven las actrices que representan papeles de reina, grandes damas y refinadas amantes. Está en una edad en que el amor, que todavía no se conoce, empieza a conmover. Pero cuando el hijo del compositor Samuel Linley muere de tuberculosis, sus afligidos padres se instalan lejos de Londres, lo que hace que Emma se encuentre sin trabajo. Mas ello dura poco, encuentra trabajo en casa de un doctor, pasa luego a vender frutas, en donde cautiva por su belleza y su encanto a todas las clientas, y una de ellas, mistress Kelly, conocida más por su sobrenombre de *la Abadesa*, se la lleva consigo.

Esta *Abadesa* no es más que una alcahueta en cuya casa se encuentran hombres amables y generosos con su dinero y mujeres no menos amables y generosas con sus encantos. Por casualidad la *Abadesa* no utilizó a Emma como cebo para sus clientes, pero la muchacha aprendió en su casa las artes de la coquetería y de la seducción, a las que de manera natural estaba muy inclinada.

Un día la *Abadesa* encontró a Emma en su cuarto vestida con uno de los mejores trajes y mimando ante el espejo los gestos y actitudes que había visto en el teatro. Es curioso que la alcahueta no viese en la muchacha a una futura pupila, sino a una criada entrometida. El caso es que la echó a la calle.

Entra entonces de sirvienta en una taberna regentada por artistas y actores, los cuales quedan entusiasmados por la belleza de la nueva sirvienta, que coquetea con unos y con otros sin concederles jamás nada.

Un día la madre de Emma va a ver a su hija y le cuenta que uno de sus primos ha sido enrolado por fuerza en la marina real y le pide que busque, entre los personajes que concurren en la taberna, alguna recomendación cerca de algún oficial o jefe de la marina que pueda ayudarle. Y efectivamente, uno de los comensales le entrega una recomendación para el teniente John-Willet Payne, quien la recibió al día siguiente. Y Emma consiguió el favor a cambio de otorgarle los suyos. Fue su primer amante.

Payne se interesa no sólo por el cuerpo de Emma, sino también por su espíritu, por su inteligencia. Se da cuenta de las inmensas posibilidades que existen en su jovencísima amante y busca maestros que le enseñen a escribir sin faltas, la música y todo lo necesario para una muchacha que pueda brillar en la pequeña sociedad en la que vive. Incluso le compra un piano. Emma queda encinta y a los diecisiete años da a luz una niña a la que también llamará Emma y que será confiada a la abuela materna.

La vida continúa y los gastos se acumulan. Cenas, reuniones con los camaradas de Payne, todos los cuales se enamoran de la bella muchacha. Uno de ellos, Harry Featherstonehaugh, se enamora más que los demás y se le declara, pero Emma no le hace mucho caso. Harry espera con paciencia sabiendo que pronto llegará su turno y, efectivamente, cuando Payne ha acumulado tantas deudas que no puede pagar, Harry se ofrece a hacerlo a cambio de que le ceda a Emma. Así se hace, y Payne parte hacia la India en su barco abandonando a la muchacha en brazos de su más rico rival.

Éste se la lleva a una finca llamada Up-Park, un pequeño castillo en donde Emma realiza sus sueños de dueña y señora.

Pero tampoco esta situación es definitiva. Uno de los contertulios de Harry es sir Charles Greville, hijo del conde de Warwick, muy bien relacionado en los ambientes aristocráticos a los que pertenece y a los artísticos en los que le ha introducido su tío William Hamilton, embajador en Nápoles y gran coleccionista de obras de arte. Conoce también a pintores como Romney y Thomas Lawrence, que está seguro que desearían tener a Emma como modelo.

La vida en Up-Park se desarrolla sin contratiempos hasta el día en que Harry debe confesar a Emma que se encuentra arruinado.

Emma debe abandonar el castillo y volver a Londres. Se acuerda de Charles Greville y va a verle, pero el muchacho se encuentra fuera de Londres y Emma debe volver al coche que la había llevado a la casa y pagar al cochero acostándose con él.

Pronto encuentra un nuevo empleo: un tal doctor Graham ha inventado un llamado «lecho de Apolo» que, a través de unas corrientes eléctricas, reanima los cuerpos desfallecidos de los pacientes haciéndolos aptos para los combates amorosos. Junto al lecho se desplaza y se contonea la diosa Hygea, que atrae a los curiosos más que la cama eléctrica. Entre ellos sir Charles Greville, que ha regresado a Londres a comienzos de 1782, el cual queda sorprendido al comprobar que la tal diosa no es otra que Emma, de la que está enamorado desde que la vio por primera vez.

Greville hizo que Emma abandonase al doctor, que tuvo que buscar una nueva diosa. Y quiere convertir a la muchacha en una señora capaz de ser presentada en un salón. Para ello hace que cambie su nombre y tome el de mistress Hart. La madre, que desde entonces acompañará siempre a su hija representando el papel de ama de llaves, se llamará mistress Cadogan. No sólo cuida de su hija, sino también de la cocina, en la que sobresale, y, vestida modesta pero dignamente, acompaña a Emma a casa del profesor de música y al estudio de Romney, el pintor de moda.

Éste tiene por entonces unos cincuenta y tantos años, ha pintado grandes personajes y ha retratado a grandes damas de la sociedad, pero lo que le gusta más es poner sus pinceles al servicio de bellas y agradables figuras femeninas por las que siempre estuvo entusiasmado. En Emma encuentra su modelo ideal y la retrata varias veces: como bacante, como dama de la sociedad, tan pronto sonriente como con aspecto trágico, pero siempre extremadamente bella y seductora.

Un día Greville anuncia el regreso a Londres de su tío sir William Hamilton, que viene a dar cuenta al gobierno de su gestión en Nápoles cerca del rey Fernando y la reina María Carolina. Hamilton es rico y su fortuna pasará un día a Greville, su único sobrino, pues de su esposa, de la que enviudó, no tuvo hijos. Pero no tiene más que cincuenta y dos años, por lo que Greville deberá esperar.

Cuando Emma le conoce queda entusiasmada por la delicadeza de sus modales y por su conversación. Se encuentra ante un hombre que a su cultura y distinción une los modales más refinados de la más refinada aristocracia inglesa. Por su parte, Hamilton encuentra que la querida de su sobrino, aparte de ser fabulosamente hermosa, es de distinguidos modales y de una apreciable cultura. No sólo se comporta como una señora en la mesa y en el salón donde se retiran después de cenar, sino que, saboreando las copas de oporto que cierran la velada gastronómica, Emma se dirige al piano y canta con deliciosa voz arias de ópera y canciones populares.

Al día siguiente el embajador la acompañó al estudio de Romney y allí admiró la pintura y las diversas actitudes de la modelo que representaban otras tantas maneras de posición ante la vida. Durante su estancia en Londres, Hamilton no deja un momento de pasar en compañía de su sobrino y su amante. Se muestran en público con la indiferencia que caracteriza la aristocracia del siglo XVIII. El trío se hace popular en los lugares elegantes. Trío que a veces se convierte en cuarteto, cuando a él se une Romney, el pintor mimado de la aristocracia.

Una vez más la cuestión económica complica la situación. Greville está arruinado y lo único que puede salvarle es la herencia de su tío... o un casamiento por interés. Lo primero se ve muy lejano; lo segundo, muy difícil. ¿Cómo buscar novia rica y de buena familia cuando es notorio su lío con una amante conocida de todo el mundo?

La solución sería que el tío cuidase de la querida del sobrino. Al fin y al cabo todo quedaba en la familia y así se evitarían un temible futuro matrimonio que echaría por tierra las esperanzas de la herencia.

Así pues, Greville se pone de acuerdo con su tío. Éste partirá para Nápoles en donde al cabo de una semana se le unirá Emma. Él, por su parte, irá a Edimburgo en donde le espera una espléndida combinación matrimonial con una muchacha de aristocrática y rica familia.

Al principio Emma, enamorada de Greville, se resiste a sus planes, pero se ve obligada a capitular. Un mes después de la partida de Hamilton, Emma embarca hacia Nápoles después de una noche llena de promesas de amor.

Adelantándome a los acontecimientos diré que los proyectos matrimoniales de Greville terminaron con un fracaso.

A su llegada a Nápoles, Hamilton, que la esperaba, la condujo al magnífico palacio que ocupaba como embajador de Inglaterra. Las habitaciones que le destinaron eran suntuosas, ni la propia reina de Nápoles podía tenerlas más ricamente decoradas. Emma preguntó si había carta de Greville y la respuesta fue negativa. Por la noche, durante la cena, Hamilton regala a Emma una diadema, un collar, un brazalete, unos pendientes y un anillo que habían pertenecido a su difunta esposa.

La vida de Emma en Nápoles se desarrolla entre reuniones y fiestas, pero ello no impide que su corazón esté lleno de su amor por Greville. Le escribe una carta tras otra, pues todavía sueña en volverle a encontrar, en reunirse con él para siempre y no olvida sus promesas de amor eterno.

Es necesario que esté alegre junto a sir William y no obstante estoy a punto de llorar cada vez que pienso en ti. Vivir sin ti me es imposible... Te quiero tanto que en este momento ninguna calamidad del mundo me parece comparable a ésta... Preferiría la pobreza, el hambre, la muerte helada, el camino emprendido con alegría para unirme descalza contigo a través de los caminos de Escocia.

Si me amas, ven mañana mismo; ni un hermoso caballo ni una bella carroza ni muchos criados ni las representaciones de ópera pueden conseguir que sea feliz. En tu poder está que sea feliz o desgraciada. Respeto a sir William, tu tío y amigo, y tengo por él una gran estimación, pero él me ama y no obstante no podrá jamás ser mi amante... Soy tuya y no perteneceré más que a ti y nadie ocupará tu puesto en mi corazón.

Efectivamente, sir William se ha enamorado de Emma pero, como hombre mayor que es, sabe controlar sus emociones y sabe esperar el momento propicio. Más sabe el diablo por viejo que por diablo. Y sir William no es un demonio, sino un hombre maduro que sabe lo que quiere y cómo conseguirlo.

Busca profesores que la perfeccionen en el estudio de la música y el canto y maestros que le enseñen el italiano y francés, ya que el inglés es poco conocido entre los miembros de la alta sociedad napolitana.

Una noche, en una reunión, el embajador, que había comprado una estatua antigua, pidió a Emma que imitase su postura, lo que hizo con tanta gracia que todos los presentes, entusiasmados, le rogaron que reprodujese gestos y ademanes inspirados en diversas obras de arte. Así lo hizo Emma, con tanto acierto que ello se puso de moda en las reuniones napolitanas, sin que ninguna otra mujer lograse hacerlo con la gracia y la elegancia de la bella inglesa.

Las cartas de Emma a Greville son cada vez más desesperadas, las de Greville a Emma cada vez más indiferentes. No se ve en ellas al amante, sino al amigo, a veces cínico, que aconseja a Emma que cultive la amistad de Hamilton. Emma contesta:

No me escribas como amigo, sino como amante. No puedo soportar entre nosotros el nombre de amigo. Entre nosotros habrá amor, pero amistad jamás. Sir William será el amigo, nosotros somos amantes. ¡Con qué fría indiferencia me recomiendas que me una a sir William! ¡Oh, esto es lo peor de todo...! ¡Si estuviese junto a ti te mataría y me mataría después!

En la alta sociedad napolitana pronto el nombre de la protegida del embajador inglés estuvo en todos los labios. Su fama llegó hasta el palacio real y el rey Fernando quiso conocer al personaje de quien todos hablaban, para lo cual concertó con sir William un encuentro en el jardín del Posilipo.

Hamilton preparó a Emma para el encuentro, pues el rey Fernando, que no sabe inglés, sólo se expresa en francés e italiano con algunas gotas de alemán que ha aprendido de su consorte la reina María Carolina, hija de María Teresa, emperatriz de Austria y hermana de María Antonieta, reina de Francia.

El rey Fernando, conocido en Nápoles con el apodo de *il Nasone*, es decir, *el Narizotas*, es hombre muy dado a la caza, sea de animales, sea de mujeres, pero Emma no corre ningún peligro, pues los gustos del soberano van hacia las mujeres del pueblo, cuanto más ordinarias mejor.

Mientras el profesor de italiano le hace repetir las frases que Hamilton le ha aconsejado, Emma se mira al espejo. Nunca se había encontrado más hermosa. Emma ensaya reverencias inclinándose lentamente, con las manos cruzadas en el pecho. Hamilton la admira con entusiasmo.

—Pareces un cuadro. Eres una obra de arte.

En esto entra un criado con una carta en una bandeja. Hace un tiempo, Emma se hubiera lanzado sobre ella impaciente por abrirla. Ahora la deja sobre el tocador para leerla después. Hamilton sonríe. Ha llegado su hora.

Cuando Emma contesta la carta, escribe rabiosamente:

Ve con cuidado, ve con cuidado. Te lo ruego, escríbeme, pues en tu interés está no herirme. No puedes imaginar cuál es mi poder aquí. Si me ofendes haré que tu tío se case conmigo.

Todo el mundo en Nápoles se enteró de la entrevista del rey Fernando con Emma y se comentaba la distinción con que ésta había hecho la reverencia ante el soberano, contestando luego a sus preguntas en francés y en italiano. El rey se sienta en un banco de la terraza y hace que ella se siente a su lado, pero sir William se da cuenta del peligro de dejar que se prolongue la conversación. El vocabulario de Emma en italiano y en francés es limitado y se corre el riesgo de borrar la buena impresión primera, y así se acerca junto con el duque de Gloucester, que se encuentra de visita en Nápoles, y pide permiso al rey para presentárselo. Emma respira tranquilizada y tiene un motivo más para agradecer la habilidad de su protector. Un instante después, el rey se levanta y Emma esboza una reverencia que el soberano galantemente interrumpe.

El triunfo de Emma es casi completo. Sólo le falta ser recibida en la corte, y esto no lo logrará mientras su situación no esté regularizada. Por el momento no es más que la bella protegida del embajador de Inglaterra. El propio Goethe queda fascinado por la belleza de Emma cuando visita Nápoles.

El caballero Hamilton, que es aquí el embajador de Inglaterra, después de mostrar su afición a las artes y haber estudiado durante mucho tiempo la naturaleza, ha encontrado el colmo de los placeres de la naturaleza y del arte en una bella jovencita. Es una inglesa de veinte años muy bonita y escultural. Viste un vestido griego que le sienta a maravilla. Deja flotar sus cabellos, toma dos chales y varía de tal forma sus actitudes, sus gestos, su expresión, que al final uno cree soñar.

Al final, sir William obtuvo lo que quería y Emma se convirtió en su amante. La delicadeza, el cariño, la asiduidad, la presencia ganaron a la ausencia y al desapego.

Emma sueña entonces en el casamiento que legalizaría su situación. Todo depende de la corte real. El rey Fernando no pondrá dificultad a recibirla en palacio. Pero ¿cuál sería la reacción de la reina María Carolina? Se dice que la reina tiene un amante, John Acton, que se hace llamar Giovanni Acton, convertido en el primer ministro del rey. Es irlandés y visita con frecuencia a Hamilton y a Emma. Ella se interesa por los problemas de la política napolitana y consigue ganarse las simpatías de Acton, quien cada vez la considera más. Pero sean cuales fueren las simpatías, Emma no puede ser recibida en la corte ni presentada a la reina.

Vivía entonces en Nápoles la vieja duquesa de Argyl, que en primeras nupcias había estado casada con el duque de Hamilton y era por ello lejana pariente del embajador. Hamilton la visita y le pide consejo. La duquesa acepta conocer a Emma, quien desde su llegada cautiva el corazón de la vieja dama y se entusiasma con la joven con un interés que durará toda su vida. De la duquesa aprende Emma el refinamiento *chic* de la conversación y el comportamiento. La visita todos los días, la ayuda a pasear ofreciéndole el brazo, tiene todas las atenciones que se pueden tener con una persona mayor perteneciente a la más alta aristocracia.

Siguiendo a la duquesa de Argyl, la colonia inglesa residente en Nápoles, compuesta por numerosos aristócratas que buscan el sol de la ciudad huyendo de las brumas londinenses, abre las puertas de sus salones a la bella compatriota que pronto se convierte en la mujer de moda, en la mujer que todo lo ha conseguido, excepto el entrar en la corte. Lo ha conseguido de tal forma que en las reuniones que ofrece en la embajada de Inglaterra, no las oficiales, claro está, sino las privadas que da ella personalmente, los aristócratas napolitanos e ingleses *acuden con sus esposas.*

La reina María Carolina sigue con interés el éxito mundano de Emma, tanto más cuando se entera que la cantante Banti ha dado un recital junto con Emma y que, al final, la profesional no pudo dejar de admirar a la aficionada exclamando:

—Che meravigliosa voce!

Hamilton decide dar el paso definitivo. Pide audiencia a la reina y una vez recibido le pide su opinión sobre una decisión que no se atreve a tomar sin su consentimiento. María Carolina adivina en seguida de qué se trata, y antes de que Hamilton pueda decir nada le informa que no vería con malos ojos la presencia de una gentil embajadora inglesa en la corte. En el fondo, en María Carolina puede más la curiosidad que las convenciones sociales. Pero hay algo más: en Francia corren vientos revolucionarios y Nápoles debe mirar por su seguridad. Si en Francia sucediese algo sería contra los reyes y sólo Inglaterra podría ser la protectora de los derechos divinos de los soberanos. Conviene, pues, estar a bien con el embajador de la gran potencia. Así pues, su consentimiento está doblado de interés político.

Pero si la corte napolitana acepta a Emma, ¿sucederá lo mismo con la corte inglesa? No hay más que un camino para saberlo: ir a Inglaterra.

La venganza de Emma sobre Greville se muestra en la carta que a éste envía su antigua amante:

Querido Greville, no temáis mi llegada a Inglaterra. Estaremos muy poco tiempo, pues no quiero llamar la atención. Quiero ser un ejemplo de discreción y no tengo otra ambición que la de hacer feliz a sir William. Comprobaréis que lo es.

En cuanto a lo de proporcionarnos dos habitaciones

separadas no podéis imaginar que consientan en ello dos personas que han vivido durante cinco años en una gran felicidad doméstica y que no piensan en otra felicidad que la de vivir en compañía.

Nos gustará mucho recibiros. Yo os apreciaré siempre por el afecto que tenéis por sir William y por el papel de intermediario que habéis interpretado y gracias al cual me ha sido posible conocerle. No puedo amar a otra persona. Esta confesión supongo que os alegrará.

Greville escribe no a Emma sino a su tío y le advierte que su carrera de diplomático puede verse truncada. Pero Hamilton es gato viejo en estas lides y convence al gobierno inglés de que no pueden encontrar mejor embajadora que una mujer a quien María Carolina, que a fin de cuentas es quien gobierna Nápoles junto con Acton, tiene gran interés en recibir en la corte.

El 6 de setiembre de 1791 sir William Hamilton y Emma Lyon contraen matrimonio.

Greville no asistió al mismo.

A su regreso a Nápoles los Hamilton pasan por París. Luis XVI y María Antonieta los reciben en las Tullerías, donde se encuentran virtualmente prisioneros. Y la reina entrega a lady Hamilton una carta para su hermana María Carolina, que será la última que le enviará.

¡Qué cambio! Ahora Emma es lady Hamilton, embajadora y portadora de cartas privadas entre soberanos.

Cuando llega a Nápoles, todo el mundo está esperando el momento en que la embajadora inglesa será recibida en la corte por la reina; pero, rompiendo todo protocolo, ésta fija una audiencia privada para el día siguiente a las once de la mañana. Los cortesanos se sorprenden, pues ignoran la existencia de la carta de María Antonieta.

Para la audiencia, Emma se ha vestido elegante aunque sencillamente, sin ninguna joya. María Carolina espera la carta pero también siente curiosidad para conocer a la mujer de la que todo Nápoles habla. Cuando se encuentran la hija de la emperatriz de Austria y la de un pobre herrero de pueblo, la reina por derecho divino y la reina de la belleza y la gracia, que también son divinos dones, salta en el acto una chispa de simpatía mutua.

—¿Habéis hecho un buen viaje? —pregunta la reina, que deja a un lado la carta para leerla después.

María Carolina queda seducida por esta criatura que sabe moverse, inclinarse, mirar y hablar con delicadeza y finura, con respeto a la soberana, pero también con sobrada distinción.

Al despedirse, la reina dice que ella misma fijará el día de presentación en la corte.

Emma ha llegado a lo más alto de su vida.

Un día de febrero de 1793, Nápoles se apresta a celebrar el carnaval. De pronto llega la increíble noticia: su majestad cristianísima el rey de Francia Luis XVI ha sido guillotinado. Lady Hamilton, que se disponía a asistir al baile de palacio disfrazada de bacante, se viste de luto y va a palacio para consolar a la reina. Si la carta de María Antonieta a María Carolina era una carta familiar no lo era menos política. De ahora en adelante las cortes de Europa se aliarán contra la canalla revolucionaria que ha osado asesinar a su rey.

Como buena inglesa, Emma no siente ningún afecto por los franceses, y como amiga de la corte napolitana odia todo lo revolucionario. De ahora en adelante intervendrá en política de forma excepcional.

El día 10 de setiembre del mismo año 1793 una flota de guerra se avista desde Nápoles. Es una flota inglesa. Emma piensa si será la mandada por John-Willet Payne, el padre de su hija, que ha llegado a ser almirante y con el que se cartea de vez en cuando para tener noticias de la niña.

El jefe de la flota inglesa visita al embajador, quien lo presenta a su esposa:

—El capitán Horacio Nelson.

El capitán se queda a comer. Es feo y se encuentra un poco desplazado en aquel ambiente mundano y refinado, tanto más cuando al final de la comida Emma recibe una carta de la reina María Carolina, que lee en voz alta y en la que la soberana expresa su sentimiento por no haberla visto en la cena del día anterior. La carta habla también de cómo los ingleses han entrado en Tolón ayudados por los realistas de la ciudad.

Lady Hamilton pide recado de escribir y contesta al punto a la reina.

Nelson está aturdido. El hijo de un pobre párroco rural admira a la bella mujer que con tanta tranquilidad se cartea con una reina. Una mujer cuya belleza y distinción la hacen tan distinta de su esposa, la pobre señora Nelson que le espera en Inglaterra.

Nelson tiene treinta y cinco años y se ve convertido en el héroe de Nápoles. Desgraciadamente no puede gozar mucho tiempo de su éxito, pues debe partir inmediatamente hacia las costas de Cerdeña, donde se ha anunciado la presencia de buques de guerra franceses.

Pocos días después llegan a Nápoles dos desastrosas noticias: la reina María Antonieta de Francia ha muerto en el cadalso y los franceses se han apoderado de Tolón al mando de un oscuro y desconocido teniente llamado Bonaparte.

Se terminaron las fiestas y los bailes, que dejan paso a la política. Emma escribe a Greville:

Hemos pasado tres días y tres noches escribiendo cartas de importancia para nuestro gobierno y que salen en este mismo correo. Se debe agradecer a sir William y a mí misma en particular nuestros esfuerzos, pues mi situación en esta corte es muy extraordinaria hasta tal punto que nadie antes de mí había llegado a tanto. Pero desconfío de la gratitud y estoy de vuelta de los honores.

La monarquía de Nápoles se tambalea. En el reino y especialmente en la capital hay exaltados que comulgan con las ideas de la Revolución francesa. En estos mismos momentos Bonaparte se embarca con rumbo desconocido. La flota francesa se ve dispersada por una tempestad y, antes de que los barcos puedan volver a reunirse, uno de ellos es capturado por la flota inglesa. Nelson se entera así de que el destino de los franceses es Egipto.

Nelson quiere dirigirse hacia allí pero no tiene agua y víveres para ello, y un tratado de 1796 firmado entre Nápoles y Francia fijaba en dos los barcos que podían entrar en el puerto napolitano y otros del reino de las Dos Sicilias. Nelson envía un mensajero a la embajada inglesa y Hamilton ve difícil que se dé autorización a la flota inglesa para que ésta se procure lo necesario para seguir su ruta. Pero lady Hamilton no se anda con chiquitas y se dirige al palacio real y despierta a la reina. De rodillas y con lágrimas en los ojos le pide la revocación del tratado. Hasta cierto punto fue cosa fácil puesto que ello coincidía con los deseos de la reina. Ésta extendió su mano hacia un mueble y cogió un papel y escribió:

Ordenamos a todos los gobernadores de los puertos del reino de las Dos Sicilias que reciban a la flota inglesa con hospitalidad, que le proporcionen agua y víveres y la ayuden en todo lo que sea necesario.

17 de junio de 1798.

Por su parte lord Hamilton había ido a ver al primer ministro Acton sin conseguir nada de él. Así puede imaginarse la sorpresa de los dos cuando Emma llegó con la orden de la reina.

Hamilton escribe a Nelson y no oculta que el éxito de la gestión se debe a su esposa.

Recibiréis de Emma la orden que deseabais y que os procurará todo aquello que necesitéis.

Nelson respondió:

Querida lady Hamilton:
He besado la orden de la reina. Decidle por favor que espero tener el honor de besarle la mano si todo sale bien. Asegurad a su majestad que nadie velará por su honor más que yo mismo. Hasta siempre. Vuestro devoto

HORACIO NELSON

El resultado fue la batalla de Abukir con la derrota de la escuadra francesa y en la que Nelson perdió un ojo, como tiempo atrás había perdido un brazo en las islas Canarias. Bromeando sobre ello, Nelson escribe a Emma:

Ahora os podré mostrar lo que resta de Horacio Nelson. Espero que las mutilaciones sufridas no le impedirán ser bien recibido por vos. Son las marcas del honor. Me permito presentaros al capitán Capel que os lleva mis noticias.

La respuesta de Emma es de una pura exaltación romántica:

La alegría, la agitación y la felicidad me han producido fiebre.
¡Santo Dios, qué victoria! Cuando me enteré de la feliz noticia me desmayé. Nunca, nunca ha sucedido un acontecimiento tan glorioso y tan completo. Consideraría como un favor morir en este momento. Pero no, no quiero morir antes de haber visto y abrazado al héroe del Nilo.

La noticia causó alegría inenarrable en la corte de Nápoles. La reina María Carolina se desmayó, luego abrazó a su marido, a sus hijos y a las personas que la rodeaban. Se inventó en el acto un vestido «a lo Nelson». Se hicieron pendientes con áncoras y botones con la inscripción *Nelson y el Nilo.* Nápoles exulta de alegría y, como no podía ser menos, se organizan festejos populares mientras se prepara una gran recepción al vencedor.

Al día siguiente la flota inglesa llega a Nápoles. El rey Fernando IV va en persona a recibir al almirante. Le acompaña sir William y su esposa Emma. En el momento de subir a la pasarela, el rey coge la mano de Emma y sube con ella al barco. Nelson cree por un momento que quien acompaña al rey es la reina. No se ha acostumbrado todavía a mirar con un solo ojo. Cuando se da cuenta de que es lady Hamilton la que acompaña al rey, vacila. Sabe que primero ha de saludar al soberano, pero su mirada no se aparta de la gentil embajadora. El rey resuelve la situación al hacer que se adelante lady Hamilton, que ofrece al vencedor un ramo de rosas. Al hacerlo, Emma vacila como si se desmayase y Nelson la recibe en su único brazo. Los oficiales se arremolinan en torno a ellos y sientan a Emma en una silla traída a toda prisa. Ello trastorna un poco el protocolo real.

La noticia de la victoria de Abukir llega a Inglaterra y el rey concede a Nelson el título de barón del Nilo, pero para el marino la mayor recompensa está en la sonrisa que le dedica a cada momento lady Hamilton y en la que adivina un naciente amor.

Todo ello unido a las fatigas del viaje, a la tensión producida por las batallas y al cansancio debido a las fiestas y reuniones, que se suceden una tras otra, hacen que Nelson caiga enfermo. En vez de guardar cama en su barco es trasladado al palacio de la embajada inglesa, donde Emma le cuida con mimo. Los médicos recomiendan que el almirante beba mucha leche de burra y lady Hamilton procura que no falte a la cabecera del lecho del enfermo.

Desde Inglaterra recibe Nelson cartas de su esposa y de sus amigos pidiéndole que regrese a la isla. Contesta que no puede debido a la situación en el Mediterráneo. Tal vez sea verdad, pero la realidad es que Nelson y Emma se han convertido en amantes.

Pero las tropas francesas marchan sobre Nápoles. Es necesario huir. Nelson acoge a lady Hamilton y a su marido a bordo de su barco y, a petición de Emma, transporta a María Carolina y al rey Fernando hasta Palermo. Hecho lo cual pone proa hacia Inglaterra.

El primero de noviembre llegan a Londres, en donde les ha precedido la noticia del romance —o unión sentimental, como se diría ahora— entre el almirante y la embajadora.

Lady Nelson reprocha a su marido la infidelidad.

—Debes escoger entre ella o yo.

Es la definitiva ruptura. Horacio puede dedicarse por completo a su amante. Sir William Hamilton, que ha cumplido setenta años, acepta con resignación lo que sucede.

Y lo acepta hasta tal punto que cuando Emma queda encinta hace ver que no se da cuenta de nada. Nace una niña, a la que se pone el nombre de Horacia para que no haya duda alguna de quién es su padre. En esos días Nelson se encontraba en alta mar. Para salvar las apariencias, la niña es conducida de noche a casa de una nodriza. Emma lleva un espeso velo sobre su rostro y no disimula su prisa en irse. Tiene fiebre y al llegar a su casa tiene que acostarse rápidamente, casi desmayada. Al día siguiente, cuando sir William pregunta si la puede visitar, la encontrará sonriente, repuesta, asegurando que no tiene fiebre y que va a levantarse de un momento a otro.

La situación es extrañamente curiosa. Por una parte, en la familia Nelson se acoge a la amante con cariño mientras la verdadera esposa se ve relegada a un segundo plano. Cuando le es posible, el almirante huye de Plymouth, donde fondea su flota, para pasar unos días con los Hamilton. Siempre que puede visita a su hija en casa de la nodriza. Un día del mes de julio, aprovechando una pausa en su trabajo, se instala con los Hamilton en una casa cercana a Londres; es el perfecto *ménage à trois*.

Pero la guerra continúa. Cuando Nelson no está con Emma la sociedad inglesa rechaza a la embajadora, que ve cerrarse ante ella las puertas de las casas de la alta aristocracia.

En abril de 1803 muere sir William. En su testamento nombra heredero universal a su sobrino Greville, con la obligación de pasar cien libras a la viuda.

¡Cien libras! ¿Qué son cien libras para la mujer acostumbrada a gastar diez veces más en vestidos y fiestas? Es la miseria. Greville se venga del pasado y expulsa a su antigua amante del palacio que ocupa en Picadilly. Más adelante no le entrega las cien libras, que destina a los acreedores de Emma.

Queda Nelson, que instala a Emma en casa de su hermano, el reverendo William Nelson. Escribe a la reina María Carolina para que conceda una pensión a Emma. La carta queda sin respuesta. Los reyes, más aún que los demás mortales, no devuelven los favores recibidos. Parece como si ello los humillase.

A fines de 1805, exactamente el 21 de octubre, Nelson manda la escuadra inglesa que se enfrenta con la franco-española frente a Trafalgar. Antes de la batalla redacta su testamento y escribe:

Mi muy querida Emma, amiga adorada de mi corazón: Los enemigos acaban de dar la señal para que salga del puerto la flota aliada. Quiera el Dios de las batallas coronar mis deseos de éxito. De todos modos quiero obrar de manera que mi nombre sea todavía más querido por ti y por Horacia, los dos seres que yo amo más que a mi vida, y como mi última carta antes de la batalla es para vosotras espero que viviré lo suficiente para terminarla después de la batalla. El cielo os bendiga. Es el ruego de vuestro

NELSON

El resultado de la batalla de Trafalgar fue favorable a la escuadra inglesa a costa de la muerte de su almirante, que cae mortalmente herido. Se da cuenta de ello y llama al segundo de a bordo:

—Hardy, estoy perdido, esto se acaba. Acercaos, tengo algo que deciros. Haced que corten un mechón de mis cabellos y que se lo entreguen a lady Hamilton con todo lo que poseo. No olvidéis a lady Hamilton ni a Horacia, las lego a mi país... si Lady Hamilton... Horacia...

En este momento le anuncian la victoria.

—Gracias a Dios, he cumplido con mi deber.

Y murió.

El dolor de Emma fue inmenso. En un cuaderno Nelson había escrito unas líneas destinadas a asegurar la existencia material de Emma y de Horacia, pero el reverendo William Nelson no quiso cumplimentarlas.

La sociedad inglesa, ejemplo de hipocresía, rechaza a la «concubina» de Nelson. Es la miseria.

Por dos veces, Emma va a la cárcel por deudas.

Cuando, en un registro en su domicilio, encuentran las cartas de Nelson, la hipócrita opinión pública no quiere aceptar la realidad y declara que son falsas.

En 1814 la paz con Francia permite a Emma huir de los acreedores instalándose en Calais, primero en un hotel, luego en una vieja granja en los alrededores de la ciudad; su única preocupación es su hija Horacia.

Moriría feliz si el porvenir de Horacia estuviese asegurado, si pudiese terminar su educación. ¡Pensar que yo, que he dado tanto con tanta generosidad, me veo obligada a mendigar!

Ha vuelto a los inicios de su vida. Un día, una inglesa llamada mistress Hunter compraba en una carnicería un trozo de carne para su perro; el carnicero le dijo:

—Señora, yo sé lo buena que es usted para sus compatriotas. Este trozo de carne que compra usted para su perro, y aun otro peor, servirían para aliviar el hambre de una inglesa que se encuentra en la miseria.

—¿Cómo se llama esta inglesa?

Y su asombro fue enorme cuando se enteró de que se trataba de lady Hamilton, la célebre lady Hamilton modelo de Romney y de Lawrence, embajadora de Inglaterra, amiga de reinas, correo de María Antonieta y amada de Nelson.

Poco después, el 15 de enero de 1815, moría Emma Lyon, lady Hamilton. Sobre su miserable cama brillaba un retrato de Nelson en uniforme de gran gala.

Año 1817

De cómo un obligado adulterio por política se transforma en una sentimental historia

MARIA WALEWSKA, LA AMANTE DE NAPOLEÓN

La familia de Maria era noble. Maria nació en 1789. Su padre, Mateo Laczinski, había muerto dejando a su esposa con seis hijos y graves problemas económicos. Los Laczinski tenían un preceptor francés llamado Nicolas Chopin, padre del que fue gran compositor y pianista Frédéric. Era hombre sensible, que enseñó su idioma a Maria hasta que tuvo que abandonar el cargo por falta de dinero para pagarle. Pero así y todo la joven aprendió, además del francés, alemán, música y baile. La educación normal en aquella época de una joven de buena familia.

En su corazón sólo cabían dos pasiones: la religión y el patriotismo. Hacía trece años que Rusia había ocupado Polonia, anexionándosela. ¡Pobre Polonia! Pequeño país entre dos colosos, Prusia —Alemania— y Rusia, su destino ha sido siempre el de verse sojuzgada.

Maria tenía dieciséis años cuando se le presentaron dos pretendientes que querían casarse con ella. Uno era un hombre joven, cabal —dice Frédéric Masson, historiador al que sigo como lo hizo Guy Breton en sus *Histoires d'amour de l'histoire de France*— y muy apuesto, dotado de prendas agradables y que le gustó a primera vista. Era sumamente rico, de buena familia, de arrogante figura, pero era ruso, hijo de uno de los generales que más se habían ensañado contra Polonia. El patriotismo de Maria se sublevó contra este enlace.

El otro era Anastasio Colonna de Walewice-Walewski, tenía sesenta años, era viudo por segunda vez y el mayor de sus nietos tenía nueve años más que Maria. Dice Masson que era muy rico, y en el país que habitaban los Laczinski era el señor el poseedor de todas las tierras y el dueño del castillo, el que daba la ley y el único que recibía a los vecinos pobres y los invitaba a comer. En sus tiempos había sido chambelán del difunto rey y en los días solemnes ostentaba el cordón azul de la Orden del Águila Blanca. Era el jefe de una de las más ilustres familias de Polonia, una familia que descendía, según parece, de los Colonna de Roma, llevaba las mismas armas y por consiguiente era más antigua que cualquiera de las familias del reino.

La madre de Maria favorecía este enlace, al que la pobre adolescente no se atrevió a oponerse. De todos modos cuando se hizo público el futuro enlace cayó enferma y estuvo cuatro meses en cama debatiéndose entre la vida y la muerte. Aún convaleciente, se casó o la casaron.

Casada, vivió tres años tranquila. Dio a luz un niño y ella continuó dedicada a sus ideas religiosas y patrióticas. De pronto un suceso inesperado trastornó su apacible vida: Napoleón había declarado la guerra a las potencias centrales y en Austerlitz las había vencido a pesar de que estaban aliadas con Rusia. Tal vez, o con seguridad, éste sería el redentor de Polonia. Gracias al emperador francés, su patria se vería libre del opresor ruso.

El 1 de enero de 1807, Maria tenía dieciocho años. Napoleón, que de Pulstuck se dirigía a Varsovia, se paró un instante para el relevo de los caballos en la puerta de la villa de Bronia. Un gentío inmenso aclamó al que creía salvador de Polonia. El general Duroc, que a duras penas se abría paso entre el gentío, oyó una voz femenina que en francés decía:

—Señor, señor, sacadnos de aquí para que le podamos ver un solo instante.

Duroc vio entonces a dos distinguidas mujeres que destacaban entre la muchedumbre de obreros y campesinos. Una de ellas parecía una niña: rubia, de ojos azules candorosos y apasionados. Era la que había gritado. Era pequeña pero, a pesar de los vestidos de época, se adivinaba en ella un cuerpo prometedor.

El general no dudó un instante. Tomó a la joven del brazo y la condujo hasta el coche de Napoleón.

—Señor, aquí tenéis a una mujer que ha arrostrado toda clase de peligros para llegar hasta vos.

Napoleón, galante, se quitó el sombrero y dirigió la

palabra a la joven, pero ella, interrumpiéndole, exclamó:

—Mil veces seáis bien venido a nuestro país. Nada podrá expresaros la alegría que sentimos al veros y los sentimientos que albergamos hacia vuestra persona.

Napoleón, cogiendo un ramillete que había en el coche, se lo ofreció diciendo:

—Guardadlo en prenda de mis buenas intenciones. Espero que nos volveremos a ver en Varsovia y entonces solicitaré las gracias de vuestra bonita boca.

Duroc montó en el coche y éste se alejó.

Maria Walewska se quedó mirándolo y vio cómo Napoleón desde la portezuela agitaba su sombrero a modo de saludo. Poco podía pensar que le encontraría nuevamente y que su destino iba a cambiar de manera radical. Poco podía imaginar que su nombre pasaría a la historia.

Para ello fueron menester varias coincidencias.

En primer lugar, Walewski decidió trasladarse a Varsovia en donde se esperaba que se fraguasen los cambios en el país. En segundo lugar, la prima de Maria, que era quien la había acompañado en Bronia, contrariamente al silencio de Maria sobre el viaje, lo explicaba a todo el mundo hasta el punto de que llegó a ser del dominio popular. Y en tercer y más importante lugar, Napoleón había quedado tan impresionado por la visión de Maria que había encargado al príncipe Poniatowski, jefe del gobierno provisional de Polonia, que encontrase a la bella desconocida dama que tanto le había gustado.

No fue difícil para el príncipe encontrar a Maria, y una mañana se presentó en su casa para invitarla a un baile que se pensaba dar en honor de Napoleón. Lo hizo con una risa de complicidad que a la muchacha le pareció extraña. Ruborizándose, declinó el convite; pero Poniatowski le expresó que en una de las comidas que se habían ofrecido al emperador éste se había fijado en la princesa Lubomirska porque se parecía a ella y de momento la había confundido.

Walewski no comprendía la resistencia de su esposa y la obligó a aceptar la invitación. ¿Cómo rechazarla? ¿No era Napoleón el árbitro de Europa y el único gobernante en quien confiaba Polonia? Poniatowski insistió.

—Acaso el cielo quiera servirse de vos para restablecer la independencia de nuestra patria.

A la orden de su marido se reunieron las solicitudes de los personajes importantes de la política del país.

El baile se celebraba en el palacio Bacha. Maria asistió con una condición: puesto que todas las señoras habían sido ya presentadas al emperador, no sería ella sola el objeto de una presentación aislada que aumentaría su confusión. Durante el camino hasta Bacha, Walewski, que les daba prisa, criticó su vestido.

—Hubieras podido elegir otro más elegante y vistoso.

El que había escogido Maria era de raso blanco sin adornos ni labrados, con una túnica de gasa y para la cabeza una simple diadema de follaje.

Cuando el matrimonio llegó al palacio, Poniatowski se acercó a ellos e hizo una seña a sus ayudantes, que se apresuraron a acaparar la atención de Walewski y a separarle de su mujer.

Poniatowski se acercó a Maria.

—Él os esperaba con impaciencia y os ha visto llegar estremecido de gozo. Él ha hecho que le repitieran vuestro nombre para saberlo de memoria. Él ha examinado a vuestro marido y se ha encogido de hombros diciendo: «¡Desgraciada víctima!», y me ha dado la orden de invitaros a una danza.

—Lo siento, pero no bailo —fue la respuesta.

Frédéric Masson, el más ilustre de los historiadores de Napoleón, explica en su libro *Napoléon et les femmes* lo que sucedió después.

El príncipe replicó que era una orden, y que el emperador estaba observando para ver si condescendía, que si no bailaba, él mismo quedaría comprometido, y que el éxito del baile dependía únicamente de ella. A todo esto, ella se negaba con más obstinación. A Poniatowski no le quedaba más que un recurso, ir a hablar con Duroc para que dijese al emperador lo que pasaba.

Alrededor de la hermosa desconocida se habían ya agrupado varios de los brillantes oficiales del estado mayor, que ignoraban la aventura que andaba de boca en boca de todos los polacos. Entonces, Napoleón echó mano a los grandes recursos para alejar a todos aquellos rivales inconscientes. A Luis de Périgord, que parecía el más obsequioso, le despachó inmediatamente al 6.º cuerpo de ejército que estaba sobre el Passarge. Después le tocó el turno a Bertrand, a quien mandó partir en el acto al cuartel general del príncipe Jerónimo, que estaba frente a Breslau.

A todo esto se suspendió el baile: el emperador recorría los salones, dirigiendo frases de fingida amabilidad, pero que, por efecto de la preocupación que le embargaba, resultaban algo chocantes.

Así, por ejemplo, a una señorita le preguntó cuántos hijos tenía; a una solterona, si su marido estaba celoso de su belleza y a una señora muy gorda si le gustaba mucho el baile. Hablaba como sin pensar, sin oír los nombres que le decían, porque sus ojos y su inteligencia estaban preocupados con una mujer, la única que en aquel momento existía para él.

Al fin llegó junto a ella: sus vecinas le dieron de codos para que se levantase; de pie, con los ojos bajos y muy pálida, esperó en esta actitud.

—Lo blanco con lo blanco no cae bien, señora —dijo el emperador, y luego añadió por lo bajo—: No es éste el recibimiento que tenía derecho a esperar después...

Y ella no contestó.

El emperador la estuvo observando un momento. Al poco rato se retiró.

Cuando el emperador se retiró del baile, Maria pudo también escapar. En el coche en el que volvía a su casa con su marido, éste la acribilló de reproches. ¿Estaba ciego? ¿Era ambición? ¿Quizá patriotismo? El caso es que la pobre muchacha de sólo dieciocho años no sabía qué hacer.

Llegado que hubo a su casa, y mientras su marido la acusaba de no haber sido amable con el emperador, Maria quiso desvestirse, pero su doncella le entregó un billete que acababa de llegar.

No he mirado ni admirado a otra más que a usted, ni deseo a otra más que a usted. Deme contestación rápida para calmar el impaciente ardor de

N.

La misiva le indignó. El príncipe Poniatowski, que esperaba en la calle, recibió el recado de boca de la sirvienta:

—No hay contestación.

Empujando a la criada, el príncipe penetró en la casa llegando hasta la puerta de la habitación de Maria, quien pese a sus ruegos se negó a dejarle pasar. Poniatowski rogó y amenazó pero todo fue inútil. Ante el temor de un escándalo tuvo que retirarse furioso.

Maria no pudo conciliar el sueño. En su abatimiento se mezclaban personas y sentimientos. Su marido, Napoleón, el patriotismo, el sentido del deber, Polonia, el emperador, su marido, sus convicciones religiosas...

A la mañana siguiente su doncella entró a despertarla con otro billete, que se negó a abrir y que mandó devolver a su portador junto con el que había recibido la noche anterior.

Pero le avisaron que el salón de la casa estaba lleno de

gente, y gente importante. Estaban allí los más altos personajes de la nación: los miembros del gobierno, incluso el mariscal Duroc. Ella no quiso presentarse y pretextó una jaqueca, pero su marido se encolerizó y para probar que no era celoso —el pobre— introdujo en el dormitorio de su esposa a todos los presentes. Delante de ellos el marido le exigió que asistiera a la comida que Napoleón ofrecía a las autoridades; en vista de que Maria pretextaba jaqueca, el más importante de los presentes le dijo:

—Todo se debe posponer, señora, en vista de las circunstancias tan altas y superiores para nuestra nación. Esperamos, pues, que el mal habrá pasado de aquí a la comida proyectada, a la que no podéis faltar sin pasar por mala polaca.

Tras estas palabras y la exigencia del marido —los hay que nacen cornudos y nada ni nadie lo puede remediar— Maria consintió en asistir al banquete.

Por consejo de su esposo, Maria fue a casa de madame du Vauban, que era la amante del príncipe José y que se dispuso a ejercer de celestina. Era mujer muy libre y muy cínica que alardeaba de sus liviandades y era conocida por su vida más que escabrosa. Eso de facilitar una aventura a un soberano le parecía muy bien y ya se veía como una nueva marquesa de Pompadour ofreciendo virgencitas inocentes a la salacidad de un nuevo Luis XV.

Una ama de llaves joven, despierta y sin escrúpulos se complació en vestir a Maria a la par que le repetía a cada instante:

—¡Todo, todo por la santa causa de nuestra patria!

Y cuando juzgó que la había llevado a un momento propicio le entregó una carta escrita y firmada por los más grandes personajes.

Señora: Las pequeñas causas producen a veces grandes efectos. En todo tiempo han tenido las mujeres gran influencia sobre la política del mundo. La historia de los tiempos más remotos, como la de los modernos, nos atestiguan esta verdad. Mientras los hombres estén dominados por las pasiones, las señoras serán una de las potencias más temibles.

De haber sido hombre hubiera usted dado su vida por la digna y justa causa de la patria. Siendo mujer no la puede usted defender exponiendo su cuerpo por oponerse su naturaleza. Pero en cambio hay otros sacrificios que usted puede hacer y que debe imponerse aun a costa de su repugnancia.

¿Cree usted que Ester se entregó a Asuero por un sentimiento de amor? El terror que le inspiraba hasta caer desmayada ante su mirada ¿no es una prueba de que no se unió a él por amor? Ella se sacrificó para salvar a su nación y tuvo la gloria de salvarla.

Ojalá podamos decir otro tanto para gloria y dicha de usted.

¿Acaso no es usted esposa, madre, hermana e hija de celosos polacos, que forman todos con nosotros el núcleo nacional cuya fuerza no puede aumentar más que con el número y la unión de los miembros que lo componen? Pues sepa usted, señora, lo que un hombre célebre, un santo y piadoso eclesiástico, Fénelon, en fin, ha dicho: «Los hombres que gozan de toda autoridad en público, no pueden con sus deliberaciones establecer un bien efectivo si las mujeres no los ayudan a ejecutarlo.» Escuche usted esta voz unida a la nuestra para gozar de la dicha de veinte millones de hombres.

Desde la Biblia a Fénelon, desde el patriotismo a la llamada política, desde los altos personajes de la nación hasta su marido, todo se confabulaba contra ella. Para acabarlo de rematar le leyó la misiva que Napoleón le había enviado el día anterior y que ella no había querido abrir.

¿Le he disgustado a usted, señora? Sin embargo, tenía derecho de esperar lo contrario. ¿Me he equivocado? Vuestro afecto se ha paralizado mientras que el mío aumenta. Me está usted quitando el reposo. ¡Oh, dé usted un poco de alegría y felicidad a un pobre corazón dispuesto a adorarla! ¿Es tan difícil obtener una respuesta? Usted me debe dos.

N.

En el momento en que la insidiosa mujer acababa de leer este billete, entró el marido. Envanecido con el éxito que su mujer había obtenido y cuyo mérito se atribuía a sí mismo, sin comprender nada, sin sospechar nada de lo que se pretendía de su mujer —pues era hombre honrado—, volvió a insistir para que fuera a la comida. La pobre joven conocía que el paso era decisivo y que él mismo la obligaba. Todo el mundo lo quiere; pues iría. Hasta la noche no se despejó el salón de visitas diligentes que le traían mudas felicitaciones y para que no se le ocurriera cambiar de parecer durante la noche, permaneció cerca de ella de plantón, hasta la mañana, la mujer de confianza de madame Vauban.

Sigo en esta narración el relato que hace Frédéric Masson en su obra ya citada.

Maria Walewska no podía imaginar siquiera que todo se confabulaba para hacer de ella la amante del poderoso. Sabía que no le amaba y no pensó jamás que llegaría a ser la amiga íntima —y tan íntima— de Napoleón. Con todo fue a la cena con aprensión y con la intención de no hacer caso de insinuaciones o peticiones que consideraba improcedentes o inmorales y que por ello rechazaba en su fuero interior.

Continuamos cediendo la palabra a Masson.

En la mesa la colocaron al lado del mariscal Duroc, casi enfrente del emperador, el cual, desde que se sentaron, comenzó con su tono breve peculiar a preguntar a uno de los convidados sobre la historia de Polonia. Parecía que escuchaba atentamente las respuestas, repetía cada término y lo discutía haciendo nuevas preguntas; pero, ya hablase, ya escuchase, sus ojos no se apartaban de madame Walewska, si no para ponerlos en Duroc, con quien parecía sostener una muda correspondencia. Hubiérase dicho que las palabras que Duroc dirigía a su vecina estaban dictadas por ciertos gestos naturales que el emperador hacía como maquinalmente, continuando un discurso muy serio sobre la política europea. En un momento dado se llevó la mano al costado izquierdo de su túnica. Duroc titubeó un instante, miró con atención a su amo y, en fin, adivinando, pronunció un ¡ah! de satisfacción. La seña de Napoleón se refería al ramillete de Bronia.

—¿Qué ha sido del ramillete? —preguntó Duroc a su vecina.

Y ella se apresuró a responder que guardaba religiosamente para su hijo las flores que el emperador le había dado.

—¡Ah!, señora —repuso el mariscal a media voz—, permita usted que le ofrezcan otras más dignas de usted.

La señora comprendió en eso una alusión que la indignó y replicó en alta voz, sonrojándose de vergüenza y de cólera:

—No me gustan más que las flores.

Duroc se quedó un momento cortado.

—Pues bien —dijo por fin—, vamos a recoger laureles en vuestro suelo natal para ofrecéroslos.

Esta vez había estado más acertado, y así lo comprendió al ver la turbación de la dama.

Cuando terminó la cena y el emperador se levantó, todo el mundo estaba pendiente de lo que sucedería; Napoleón se acercó a ella y le dijo casi al oído:

—¡No, no! Con estos ojos tan dulces y amorosos, con esa expresión de belleza no se debe resistir ni complacerse en causar tormento, a no ser la más coqueta y cruel de las mujeres.

Cuando el emperador se retiró, todo el mundo rodeó a Maria.

—El emperador sólo se ha fijado en vos, y os echaba miradas de fuego.

Y todos le repetían que sólo en ella se encontraba la salvación de Polonia. Poco a poco fueron dejándola sola y cuando creía que podría descansar se presentó el general Duroc con una carta de Napoleón. Antes de entregársela le dijo:

—¿Cómo podéis rechazar la petición de quien no ha recibido jamás un desdén? Mirad, señora, que su gloria está empañada de tristeza y sólo depende de vos reemplazarla por unos instantes de felicidad.

Y le entregó la misiva pidiéndole que acudiese a una cita. Maria se puso a llorar, indignada y ofendida. Duroc apeló a su patriotismo y se retiró. La pobre joven abrió el billete de Napoleón.

Hay momentos en que pesa demasiado la grandeza, y eso es lo que experimento yo ahora. ¿Cómo satisfacer la necesidad de un corazón enamorado que quisiera correr a vuestros pies y se encuentra impedido por el peso de altas consideraciones que paralizan el más ardiente de sus deseos? ¡Ah, si vos quisierais!... Nadie más que vos puede quitar los obstáculos que nos separan. Mi amigo Duroc os facilitará los medios.

¡Oh! ¡Acudid! Todos vuestros deseos serán satisfechos. Amaré aún más a vuestra patria cuando os hayáis compadecido de mi pobre corazón.

N.

De modo que la suerte de su país estaba en sus manos.

Cinco días duró su resistencia. Cinco días durante los cuales hombres y mujeres la acosaban, la incitaban, la tentaban con los más variados argumentos que, al fin, podían reducirse a uno solo: el patriotismo, Polonia. Al fin, agotada tras noches de no dormir y días de sufrimiento, pronunció las palabras que todos esperaban:

—Haced de mí lo que queráis.

Aun entonces creyó que se salvaría. No podía ser que Napoleón quisiera violarla. Ella le suplicaría, le pediría compasión. Le diría que no sentía ningún amor por él, sólo admiración. Sí, aún podría salvarse. Ni hablaría siquiera, se limitaría a mirarle pidiendo piedad.

A las diez de la noche fueron a buscarla. En la esquina de su casa había un coche. Cubierta con un velo la introdujeron casi a la fuerza en el vehículo, que salió a toda prisa hacia el palacio en el que se alojaba Napoleón.

Cuando estuvo en su presencia rompió a llorar. Él se aproximó y le dijo algunas frases que no fueron entendidas por Maria. Una sola comprendió. Napoleón había dicho: «Tu viejo marido...»

En aquel momento ella quiso huir pues vio toda la vileza del adulterio que iba a cometer y él se quedó asombrado. Era la primera vez que le sucedía. Todas las mujeres con las que había tratado se mostraban contentas y orgullosas de ser merecedoras de sus atenciones. Y, ahora, esta chiquilla le hacía una escena a la que no estaba acostumbrado. ¿Estaría representando una comedia? No, no, todo era demasiado auténtico. Hay momentos en los que se distingue el fingimiento, y éste no era uno de ellos.

Maria quiso escapar y Napoleón la agarró por los brazos y la hizo volver al canapé en el que estaba desde su llegada.

Con voz cada vez más afectuosa le empezó a preguntar cosas de su vida. ¿Cómo y por qué se había casado? ¿Había sido por amor, por obligación familiar, por desear riqueza, por la vanidad de los títulos? ¿Cómo podía ser que una muchacha tan joven hubiese podido unirse a un vejestorio como su marido? Ella iba respondiendo maquinalmente a las preguntas, cada vez más íntimas e insidiosas. Al fin se escudó en sus creencias religiosas; Napoleón se echó a reír y ella volvió a llorar.

El emperador no sabía qué pensar. Era la primera vez que le sucedía una cosa semejante. Acostumbrado como estaba a una sociedad frívola y corrompida no podía imaginar algo distinto.

La conversación duró hasta las dos de la madrugada en que, según lo convenido, llamaron a la puerta para conducir a Maria a su casa.

—¿Ya? —dijo el emperador—. Mi tímida paloma, enjuga tus ojos y deja de llorar. No temas, no emplearé contra ti más fuerzas que las de un amor apasionado que desea ser amado por tu corazón. Acabarás por amarme porque seré todo para ti. No lo olvides.

La condujeron a su casa, pero antes le hizo jurar que volvería la noche siguiente. Maria no sabía qué pensar. Había sido amable y cariñoso. Si aquella noche no había pasado nada ¿por qué tenía que pasar algo la noche siguiente?

A la mañana siguiente la dama de confianza y, a la vez, celestina le despertó llevando un voluminoso paquete. Al abrirlo aparecieron flores de invernadero mezcladas con ramas de laurel y unos joyeros. En ellos se contenían una guirnalda y un broche de diamantes. Maria, llorando, los tiró al otro lado de la habitación.

¿Qué se había creído Napoleón? ¿Que estaba en venta? ¿Que era una cortesana, una prostituta que se vendía ante la visión de una joya?

Con ellas había una carta.

Maria, mi dulce Maria, mi primer pensamiento es para ti, mi primer deseo es volverte a ver. Volverás ¿no es verdad? Así me lo has prometido. Si no el Aguila volará a ti. Te veré en la comida; así lo dice el amigo. Dígnate aceptar ese ramillete y que sirva de lazo misterioso que nos una secretamente entre el gentío que nos rodea. Expuestos a las miradas de la muchedumbre, podremos entendernos. Cuando mi mano oprima mi corazón, sabrás que está ocupado enteramente de ti, y para responder tú oprimirás tu ramillete. Amame, mi linda Maria, y que tu mano no deje jamás tu ramillete.

N.

A la hora de la cena de gala Maria se presentó sin las joyas.

—Majestad —le dijo—, no me gustan los brillantes y el presente era demasiado precioso para considerarlo como recuerdo.

Napoleón no dijo nada, pero al terminar el banquete los patriotas polacos llevaron a Maria al saloncito donde el emperador la esperaba. Era lanzar una oveja a las fauces de un león.

Napoleón la recibió con el entrecejo fruncido y aspecto de mal humor.

Empezó a hablarle y, poco a poco, se fue exaltando. Uno de los trucos de Napoleón era fingir cólera ante sus interlocutores hasta que lograba espantarlos. Esto lo hizo a lo largo de su carrera ante ministros o reyes. Tal vez fingiese, pero Maria no lo podía suponer.

El emperador cogió un reloj que llevaba en un bolsillo.

—Quiero, ¿comprendes bien esta palabra?, quiero obligarte a que me ames. Yo he hecho revivir el nombre de tu patria, gracias a mí existe todavía su raza; pero aún haré más. Sin embargo ten presente que así como delante de ti hago añicos este reloj que tengo en la mano, así también perecerán su nombre y todas tus esperanzas si me obligas a ello rechazando mi corazón y rehusándome el tuyo.

Lanzó el reloj al suelo y lo pisoteó gritando:

—Así trataré a Polonia si rechazas mi amor.

Maria Walewska escribió mucho más tarde:

«Sus ojos me taladraban. Creía vivir una horrible pesadilla. Toda mi voluntad me impelía a despertar de aquel horroroso sueño, pero su salvaje mirada parecía que me clavara en el diván donde yacía. Estaba sentada en un rincón del mismo en el que me había hecho sentar cuando llegué. Temblaba y me inundaba un sudor frío, tuve la impresión de que me levantaban y me dije: Por fin voy a despertar, pero un peso terrible me oprimía y no podía respirar. Comprendí lo que era y me desmayé.»

Napoleón aprovechó aquel desmayo.

Lo cual no dice nada en favor del gran corso. Ni como caballero ni como amante. Un caballero no se aprovecha de un desvanecimiento para llegar a sus fines, un amante no posee, no ya un cuerpo inerte, sino una mujer consciente. Amar no es poseer, es darse. Darse mutuamente. Vibrar física y espiritualmente a la vez. Un amante no goza *de* una mujer, sino que goza *con* ella.

Al volver en sí, Maria comprendió lo irremediable. Napoleón la miraba. Tal vez arrepentido, tal vez con la desgana del amante satisfecho. En un instante Maria se dio cuenta de que, perdida ya en su honor, quedaba al servicio de Polonia. Se levantó, fue hasta Napoleón, le besó en la mano y le dijo:

—Te perdono.

Napoleón la tomó en sus brazos y comenzó a besarla apasionadamente. Maria interrumpió las efusiones.

—No vas a creer que volveré a casa. Ahora soy tuya. No voy a reanudar mi vida con mi marido como si nada hubiese pasado ni volveré a verte a escondidas como una cortesana.

—Tienes razón, vivirás conmigo.

Y mandó que le preparasen una habitación al lado de la suya.

Hecho lo cual volvió hasta Maria, la desnudó y volvió a hacer con ella consciente lo que había hecho durante su desmayo.

Desde entonces se convirtió no ya en la amante de Napoleón, sino en la esperanza de todos los polacos, que veían en ella la salvadora de su patria. No tardarían mucho en desengañarse y no por culpa de la pobre Maria.

Ella suplicaba y pedía, pero Napoleón prometía, prometía... y no cumplía.

La posición de la Walewska era considerada por todos como normal. No mereció en su país ni una sola reprobación, dice el inevitable Frédéric Masson.

Y no se crea que en su país mereciera la menor reprobación. Fuera de su marido —de quien había tenido que separarse—, todos se apresuraban a hacerle la corte, no como a una favorita, sino como a una víctima, porque ninguno ignoraba cuánto sufría ni cuán digna era de estima, respeto y compasión. Las mismas hermanas de su marido, la princesa Jablonowska y la condesa Birginska, se habían constituido en sus dueñas. No dependía más que de ella ocupar en Varsovia el primer puesto, y si fuera otra aparecería como soberana. Entonces tendría enemigos; pero como no quería figurar ni aspiraba a nada no se la temía: la lisonjeaban menos, pero la compadecían más.

Por otra parte, su aventura nada tenía de chocante para una sociedad que adornaba las costumbres de poligamia oriental con el escepticismo elegante llevado de Versalles; que había recibido y conservado los ejemplos de moral de Catalina la Grande, y que en el divorcio hallaba, cuando le convenía, la sanción legal y aun religiosa de sus caprichos extraconyugales.

Felizmente, había dado con una mujer tal que en cien años no habrían podido encontrar otra igual: sencilla, candorosa, pudorosa, desinteresada, animada únicamente de la pasión de la patria, capaz de inspirar un sentimiento durable y una verdadera pasión, conteniendo en sí todo lo más amable y generoso que había en la nación.

Ella no sería para Napoleón una querida de paso, sino una especie de esposa suplente, que no participaría realmente de las dignidades de la corona ni de los esplendores del trono, pero que ocuparía un puesto especial, que sería la embajadora de su pueblo cerca del emperador, su mujer polaca. Con un lazo muy débil todavía, pero que más tarde podría apretar, uniría el corazón de Napoleón a los destinos de Polonia. Con sólo su muda presencia le obligaría a acordarse de sus promesas, a justificarse de no cumplirlas y a despertar sus remordimientos por no pagar la deuda.

Y en el fondo ese razonamiento no era descabellado,

porque casi todas las noches volvía Napoleón al problema que le recordaba constantemente aquella mujer.

—Puedes estar segura —le dijo— de que cumpliré con la promesa que te he hecho. Ya he obligado a Rusia a soltar la parte que había usurpado, y el tiempo hará lo demás. No es éste momento oportuno para realizarlo todo; es preciso tener paciencia. La política es una cuerda que se rompe cuando la estiran demasiado. Mientras tanto se van formando vuestros hombres políticos; porque, vamos a ver, ¿cuántos tenéis? Sois muy ricos en buenos patriotas; convengo en que no os faltan brazos: el honor y la bravura transpiran por todos los poros de vuestros valientes; pero eso no basta, es preciso una compacta unanimidad.

»Bien sabes que amo a tu nación; que mi intención, mis miras políticas, todo me mueve a desear su completo restablecimiento. Me presto con gusto a secundar sus esfuerzos y a sostener sus derechos: todo cuanto dependa de mí sin alterar mis deberes y el interés de Francia, lo haré sin falta; pero piensa en que nos separan grandes distancias: lo que puedo hoy establecer, acaso mañana será destruido. Mis primeros deberes son para Francia; yo no puedo derramar sangre francesa por una causa ajena a sus intereses, ni armar a mi pueblo para venir a socorreros cada vez que sea necesario.

Un día Napoleón anunció de pronto que abandonaba Varsovia. Maria quedó aterrada: ¿Polonia?, esto en primer lugar y luego, ¿y ella misma?

—No temas, me ocuparé de tu patria y tú me seguirás dondequiera que vaya.

En Finckenstein, donde Napoleón trasladó su cuartel central, Maria Walewska llevó una vida melancólica. Su soledad sólo se veía interrumpida por las comidas con el emperador. Éste le reprochaba sus vestidos —pues se preciaba de ser muy entendido en esas cosas—, que Maria llevaba siempre oscuros o blancos cuando visitaba a su amante.

—¿Por qué llevas siempre vestidos negros u oscuros?

—Llevo todavía luto por mi patria. Cuando la hayáis resucitado, vestiré de otro color.

Esta respuesta hacía callar a Napoleón.

La vida recoleta de Maria le satisfacía más que la brillante de Varsovia en donde se veía adulada por los nobles, lo que le producía una sensación que ofendía a su pudor.

En 1808 se trasladó a París. Sabía que Napoleón le era infiel, y al año siguiente se instaló en Viena en una casa cercana al palacio de Schoenbrun. Allí descubrió que estaba embarazada y viajó hasta Walewice para que su hijo naciese en Polonia, lo que sucedió el 4 de mayo de 1810. Al niño se le bautizó con los nombres de Alexandre Florian Joseph Colonna Walewski, como si su verdadero padre fuera el marido de Maria.

A fines de 1810 se trasladó a París con el niño; el emperador, que le pasaba una renta de diez mil francos mensuales, mandaba todas las mañanas a uno de sus edecanes a pedir órdenes. Tenía reservado un palco en todos los teatros y el general Duroc tenía el encargo expreso de satisfacer cualquier capricho de la polaca.

Pero Maria poco aprovechó de ello. Continuó su vida silenciosa y anodina. De vez en cuando iba a palacio con su hijo, al que Napoleón había concedido el título de conde del Imperio.

Aparte de los polacos, que recibía con asiduidad, pocas personas sospechaban la relación de Napoleón con Maria. Un día ésta se encontró en palacio con la emperatriz Josefina, quien, sin sospechar lo más mínimo, acarició al niño felicitando a Maria por su buen aspecto.

A principios de 1812 se veía que la guerra con Rusia era inminente, lo que hizo concebir esperanzas a todos los polacos, Maria en primer lugar.

Pero la cosa no era tan sencilla como imaginaban. En la misma Polonia había nobles y grandes terratenientes que eran partidarios de Rusia para poder así conservar sus posesiones y su autoritarismo calcado del ruso. Y la población, poco o nada informada, era una masa inerte sin opinión. Sólo la burguesía y los pequeños nobles se exaltaban con los motivos patrióticos. En 1805 se había formado la Santa Alianza y en la lucha entre Napoleón y la oligarquía reinante en Europa, los más poderosos e influyentes personajes europeos tomaban posiciones contra el emperador.

Éste, por otra parte, en abril de 1810, es decir, un mes antes de nacer el hijo de Maria Walewska, se había casado con María Luisa de Austria, que también le dio un hijo: el Aguilucho.

El resto es cosa sabida: Napoleón invadió Rusia y fue derrotado por el frío y las armas zaristas que llegaron a incendiar Moscú para evitar que fuera tomado por el francés. La trágica retirada le hizo pasar cerca de Varsovia pero no se paró a visitar a Maria.

Luego el exilio en la isla de Elba. Maria Walewska fue a visitarle, cosa que no hizo su esposa María Luisa, y le ofreció todas sus joyas, que Napoleón rechazó, y no sólo eso, sino que le regaló sesenta y un mil francos ya que no percibía la pensión que se le había concedido. Al despedirse abrazó a Maria y al pequeño Alexandre que la había acompañado.

—Adiós, querido hijo de mi corazón; ¿qué piensas ser cuando seas mayor?

—Militar.

—¿Por qué?

—Porque quiero mucho a Napoleón.

—Y ¿por qué le quieres?

—Porque es mi papá, y mamá me ha dicho que le ame.

Durante los Cien Días, Napoleón volvió a ver por última vez a Maria en público, le cogió la mano y la estrechó contra su corazón.

Después Waterloo y Santa Elena.

Maria quedó viuda y se casó en Bruselas con el general Ornano, lejano pariente de Napoleón. Éste se enteró de la boda en Santa Elena y no hizo ningún comentario. Tal vez pensó que Maria Walewska le había amado de verdad, que de haberse casado con ella en vez de hacerlo con María Luisa hubiera creado un reino en Polonia que habría servido de valladar a la potencia rusa. Le hubiera alegrado saber que su hijo Alexandre, después de ser militar como había anunciado, sería un gran político, embajador y ministro de Napoleón III. Pero esto era el porvenir.

Maria quedó encinta de su nuevo marido, al que dio un hijo. Pero gozó sólo un año de felicidad matrimonial. Moría a los veintiocho años de edad pronunciando una sola palabra.

—Napoleón.

Año 1835

De cómo una revolución puede llevar a una carabanchelera a variar el curso de la historia de Francia

TERESA CABARRÚS: UNA ESPAÑOLA EN LA REVOLUCIÓN FRANCESA

Con este título y subtítulo, mi amigo Fernando Díaz-Plaja escribió hace tiempo una interesante y bella biografía del personaje que nos va a ocupar. Confieso que las páginas que siguen le deben mucho a este libro, que merece una inmediata reedición. Lo hago constar porque la amenidad, el rigor histórico y la galanura del lenguaje de mi amigo quizá contribuirán a hacer más pasable mi relato, aun a costa de su originalidad.

Francisco Cabarrús, de origen navarro-español, había nacido en Bayona, pero a los dieciocho años su padre le envió a Valencia, donde el corresponsal del negocio paterno, Antonio Galabert, le recibió con los brazos abiertos. Más adelante quien le abrió los brazos fue María Antonia, la hija del señor Galabert, que se casó con Francisco a escondidas del padre. Éste, cuando descubrió que el hijo de su patrón se había convertido en su yerno, primero montó en cólera, pero luego aceptó los hechos consumados y como Francisco demostraba tener buen ojo para los negocios, al fin y al cabo se resignó. Pero la vida de la pareja en Valencia se hacía incómoda pues tenía ante sí las miradas de reproche del señor Galabert y de toda la familia.

María Antonia, desesperada, escribió a su abuelo, que tenía una fábrica de jabón en Carabanchel de Arriba, cerca de Madrid, explicándole la situación en que se encontraba. La respuesta no se hizo esperar, le hizo gracia el nuevo nieto que se colaba de rondón en la familia y le ofreció un puesto en su fábrica; y allá se fueron Francisco y María Antonia.

El 31 de julio de 1773 María Antonia da a luz una hija, que fue bautizada con los nombres de Juana, María, Ignacia, Teresa Cabarrús. Desde el principio todos la llamaron Teresa, y con este nombre ha pasado a la historia. Mientras tanto el nuevo padre se abre camino en los negocios gracias a su talento y a una especial listeza. Se relaciona con lo más florido de la sociedad intelectual madrileña, especialmente en lo que se refiere al campo económico. Sus ideas atraen la atención de los gobernantes y en 1782 crea el Banco Nacional de San Carlos, del que es nombrado director.

Mientras tanto la niña va creciendo y se va desarrollando, y lo hace tan bien que a los doce años, espigada y tentadora, parece que tenga dieciséis. Su educación es un poco curiosa, no aprende nada importante, pero retiene intuitivamente todo aquello que más adelante le servirá para hacer un buen papel en la sociedad. Su padre se da cuenta de que la niña está rodeada de moscones y decide alejarla de la corte española y enviarla a París, donde tiene parientes y amistades. En 1785 Teresa llega a la capital francesa.

Se alberga en casa de madame Boisgeloup, esposa de un consejero del rey en el Parlamento de París, y durante dos años frecuenta los salones de su huésped llenos de jóvenes de la buena sociedad, entre los cuales está el hijo del financiero marqués de Laborde; éste se enamora de ella y ella de él, pero las incipientes relaciones se ven cortadas por el marqués, que no quiere para su hijo una niña como esposa. Por otra parte, apunta más alto y desea verle casado con alguien más importante que con una pequeña española, muy hermosa, sí, pero sin cuarteles de nobleza en su escudo. El joven Laborde toma la decisión paterna con ímpetu trágico y embarca para América, donde poco después morirá en una expedición.

Teresa se consuela pronto, y más todavía cuando surge un nuevo pretendiente: se trata del hijo del señor Devin de Fontenay, enormemente rico, consejero en el Parlamento de París y que con su dinero comprará más adelante, en las vísperas inmediatas de la Revolución, el título de marqués.

El 21 de febrero de 1788 Teresa Cabarrús se casa. La ceremonia se celebra en la parroquia de San Eustaquio y en el documento oficial del enlace se hace constar que por un lado figuran «Juan Jacobo Devin de Fontenay, caballero, consejero del rey en la corte del Parlamento, de veintiséis años de edad, hijo del alto y poderoso señor Jacobo Julián Devin, consejero del rey en todo Consejo, presidente de su Cámara de Cuentas en París, y de la finada, alta y poderosa dama Isabel Francisca Angélica Rousseau, domiciliado en la calle y parroquia de Saint-Louis-en-l'Ille y, por el otro, de la señorita Juana María Ignacia Teresa Cabarrús, de catorce años y medio de edad, hija del señor Francisco Cabarrús, consejero de su majestad católica el rey de España, en su Consejo Financiero, director de la Banca de San Carlos y de la Compañía Real de Filipinas, y de la señora María Antonia Galabert, domiciliado *de facto* en la calle Vivienne de esta parroquia, y *de jure* en la de San Luis, ciudad y parroquia de Madrid en España».

La nueva madame Devin de Fontenay se ha transformado de la noche a la mañana en una señora que recibe en su casa y visita a sus nuevas amigas. Disfruta yendo de salón en salón y triunfando por su belleza. En un documento del tiempo se la llama «la divina andaluza», cosa muy del tiempo y que durará hasta nuestros días en que aún Andalucía representa para muchos extranjeros lo único que existe en España. Recordemos que muchos años después Alfred de Musset escribirá unos versos que empiezan:

J'ai vu a Barcelonne
l'andalouse au sein bruni

(He visto en Barcelona / la andaluza de moreno seno.) Y no creo que el gran poeta francés viese en Barcelona a ninguna andaluza, y menos que ésta le mostrase un seno, ni moreno ni blanco. En todo caso, teniendo en cuenta las costumbres de la época, en que no existía el *top-less*, debería ser absolutamente lácteo.

Si el triunfo social de Teresa fue absoluto, no lo fue en cambio el matrimonio. Teresa, ardiente, generosa y con pocos escrúpulos, coqueteaba con todos los hombres que quería y se rumoreaba que otorgaba algo más que un simple flirteo. Por su parte su marido, ya marqués de Fontenay, tenía amantes y más de una vez las había llevado a su casa. Cosa por otra parte muy a tono con las costumbres de la época. El matrimonio, pues, no sólo no era feliz, sino que se iniciaron las gestiones para el divorcio.

Al parecer Fontenay no estaba de acuerdo en que su esposa se tomase las mismas libertades que él. Un diputado, Alexandre de Lameth, que pasaba por ser amante de Teresa, había huido al extranjero. La Revolución había estallado y con ella había llegado el Terror. No quedaba más remedio que huir. Una amiga suya había sido detenida por el comité a causa de una denuncia de su criada:

—La ciudadana impide que vaya a ver guillotinar y me obliga a volver a casa después de la segunda ejecución. Priva al pueblo de sus placeres.

Lo difícil era saber a dónde iban a ir. Se necesitaba pasaporte. Dos problemas que necesitaban solución. Ir al Este era lo más aconsejable, pero ¿cómo serían recibidos por los aristócratas emigrados cuando Teresa había abierto sus salones a lo más granado de los pensadores de la Revolución? De todos modos, la huida era absolutamente necesaria. Fontenay había comprado su título de marqués precisamente un año antes de estallar la Revolución y ahora era un grave impedimento para pedir ningún favor a nadie.

Teresa recordó que había conocido, no se sabe si en casa de Lameth o de Rivarol, a un joven llamado Tallien que se había entusiasmado contemplándola. De la forma que fuere, Teresa consiguió el pasaporte para ella, su marido y un hijo que habían tenido, y el 6 de marzo de 1793 salieron de París en dirección a Burdeos en donde les esperaban dos hermanos de Teresa y su tío Bartolomé Galabert. Al llegar a la ciudad, Teresa se despidió de su marido:

—Ya estás a salvo, estoy en paz contigo y no deseo verte más.

—Adiós, deseo que vivas y seas feliz.

Ésta fue la despedida. El marido embarcó para América y Teresa recibió el 25 de abril la noticia de que le había sido concedido el divorcio. Ya no era la marquesa de Fontenay, sino la ciudadana Teresa Cabarrús.

Con inconsciente olvido de lo que estaba sucediendo en el país, Teresa inicia en Burdeos una vida de relación que escandaliza no poco a la pacata sociedad provinciana. Un día decide hacer un viaje a Bagnères y allí se dirigió con su tío Galabert, su hermano y dos amigos enamorados de ella, Édouard de Colbert y Auguste de Lamothe. El primero tiene diecinueve años y el segundo veintiuno. Teresa, que al parecer ya había tenido algunas aventuras galantes en Burdeos, coquetea ora con uno ora con otro, con lo que consigue que los dos se miren celosamente e irritados. Tanto que un día deciden batirse en duelo para saber quién se quedará con Teresa. Al amanecer se cruzan las espadas y Colbert hiere en un muslo a Lamothe, y cuál es su sorpresa cuando ve que Teresa, que se había despertado al ruido de la pelea, se precipita sobre el herido musitándole palabras de amor.

¿Es que eran amantes? Nada de eso; no existía ningún lazo entre los dos. Lo que sucede es que, como dice Díaz-Plaja, «las mujeres tienen una reacción natural hacia el vencedor, hacia el que triunfa y es hombre feliz y dueño de su destino, pero también tienen otra que es la maternal hacia el caído, hacia el débil, el infortunado. Estamos en época romántica; existe en el ambiente una blandengue atracción por el infortunado y esto se puede traducir en amor-pasión de la forma más sencilla. Al presentarse ante Teresa el cuadro del desafío cumplido, hay, cierto, la estampa del vencedor, erecto, magnífico, dominador; pero ¿no es mucho más simpática la figura de ese maravilloso barón de Lamothe que no ha vacilado en exponerse a la muerte para obtenerla a ella? Esta reacción primera es la más sincera que Teresa ha tenido desde su noviazgo con el hijo del marqués de Laborde, cuando aún era niña; amor brusco y apasionado como nunca se hubiera imaginado hallar después de su matrimonio».

Colbert se retiró avergonzado y triste. Lamothe vivió unos días o unas semanas con Teresa y luego tuvo que abandonarla para incorporarse al ejército. Los dos llegaron a generales y fueron amigos.

Mientras tanto las contiendas políticas habían llegado a Burdeos de forma un tanto especial. Parte de la población era reacia a aceptar los principios revolucionarios en toda su integridad y especialmente en toda su dureza. Con vocabulario de hoy diríamos que los bordeleses eran gente de centro, alejados tanto del derechismo aristocrático como del izquierdismo revolucionario. En París se dieron cuenta de ello y decidieron enviar a la capital provinciana a uno de sus más ardientes y crueles jefes revolucionarios: se llamaba Tallien.

¿Recordó Teresa su anterior encuentro con el nuevo amo de Burdeos? Sea como fuere, el caso es que pronto se hizo amiga de él y empezó a pedirle favores, no para ella, sino para sus amistades. Teresa era generosa y de buenos sentimientos y procuraba hacer todos los favores que podía a sus amistades y a gente desgraciada.

Juan Lamberto Tallien tenía veintiséis años, aspecto de atleta y un bello rostro sobre el que aparecían cuidados bucles rubios. Hijo de un criado del marqués de Bercy, creía ser hijo bastardo de este aristócrata que pagaba sus estudios. Lleno de odio hacia la sociedad que le despreciaba, aprovechó la Revolución para fundar un periódico desde el que predicaba odio, discordia y reclamaba la sangre de los aristócratas. Desempeñó un papel importante en el momento de la invasión de las Tullerías y se mostró cruel y despiadado durante los asesinatos del mes de setiembre. Diputado en la Convención, votó la muerte de Luis XVI y en recompensa fue enviado como representante del Tribunal revolucionario a Tours.

Allí demuestra gran crueldad y gran codicia interviniendo en confiscaciones y en robos disimulados con el pretexto de la justicia revolucionaria. Ávido de poder y riqueza, se libró a toda clase de crueldades y de las llamadas incautaciones que, como se sabe, no son más que robos amparados por el poder que dicta sus leyes al margen de toda justicia.

A su llegada a Burdeos, hizo instalar la guillotina en la plaza principal de la ciudad y condenó a muerte a tantas personas que el verdugo, fatigado, cansado de tres días, se vio obligado a solicitar un descanso.

Incapaz de pronunciar discursos por su falta total de oratoria, lo que le obligaba a repetir tópicos y más tópicos con voz monótona, se le conocía en los ambientes de la Asamblea Nacional con el remoquete de «El grifo de agua tibia». Como la mayor parte de los individuos que no saben expresarse, Tallien disimulaba su inferioridad con actos desorbitados que en aquella ocasión y en aquellos tiempos eran crueles. Tal vez por ello, no sabiendo tratar a las personas y quizá por timidez (no se olvide que en muchos casos los tímidos son los que hacen más barbaridades al intentar disimular su defecto), hizo publicar un bando en el que se decía:

Las ciudadanas u otros individuos que acudan a solicitar algo en favor de los detenidos o para obtener algún beneficio serán considerados y tratados como sospechosos.

Es curioso ver que la primera palabra es ciudadana, así en femenino, pues Tallien sabía que son las mujeres quienes, capaces de lo más atroz, son también las más inclinadas a la misericordia. Por otra parte, la timidez de Tallien quizá con estas palabras se protegía de posibles tentaciones, pues no en balde era hombre muy dado a los placeres de la mesa y de la cama.

La amistad de Teresa y Tallien dio pronto sus frutos. Ella conseguía de él favores sin cuento y, naturalmente, buscó para ella un lugar más adecuado para sus entrevistas. La amistad hizo que los amigos se transformasen en amantes y él se entrevistaba con Teresa olvidando por unas horas la existencia de Robespierre, la Convención y la guillotina.

Pero un día se recibió en París una denuncia que decía:

Denunciamos al llamado Tallien, representante del pueblo, de tener relaciones íntimas con la llamada Cabarrús, mujer divorciada del ex noble Fontenay, y que tiene tanta influencia sobre él que se ha transformado en protectora de su casta, nobles, financieros y acaparadores. Si esta mujer continúa más tiempo al lado de Tallien la representación nacional se verá desacreditada cuando por el contrario tiene la más grande necesidad de disfrutar de la confianza del pueblo.

Tallien, que tenía sus espías en París, fue informado de la existencia de esta denuncia. Quiso disimular sus relaciones con Teresa pero todo fue inútil. Teresa fue arrestada y encarcelada en el fuerte de Hâ desde el que escribió una carta a su amante pidiéndole auxilio. En cuanto la recibió, Tallien dijo a sus colaboradores:

—La ciudadana Cabarrús me ha escrito y no sé qué diablos quiere. Creo que sería útil proceder a un interrogatorio.

Tallien fue al fuerte de Hâ y ante el carcelero y unos guardianes dijo a la prisionera:

—¿Para qué me querías ver, ciudadana?

Teresa comprendió la comedia y respondió en el mismo tono impersonal:

—Ciudadano, te quería ver para justificarme. No sé quién sospecha de mi civismo y mi entrega total a los ideales de la República una e indivisible. Por otra parte tengo cosas que revelarte.

Tallien se dirigió a sus acompañantes

—Dejadnos solos, voy a interrogar a esa mujer.

Los acompañantes salieron y Tallien se quedó solo con Teresa. Viendo que tardaba en salir los hombres, que no oían ningún ruido ni signos de conversación, aplicaron la oreja a la puerta. Los suspiros que oyeron no se parecían en nada a un interrogatorio.

Aquella misma tarde la ex marquesa salía de la cárcel.

Desde entonces los amantes ya no disimularon más.

Pero un nuevo enemigo iba a surgir: era el general Brune, que mandaba las tropas que la Convención había mandado para proteger la acción de Tallien. Es probable que Brune, que llegó luego a ser mariscal de Francia en tiempos de Napoleón, quisiese también alcanzar los favores de la bella Teresa, o por lo menos así se rumoreó en Burdeos durante mucho tiempo. Se decía que Teresa había vacilado entre los dos pretendientes y se había decidido al fin por el que le parecía más seguro, es decir, por Tallien, quien solicitó de la Convención la desaparición del Estado Mayor revolucionario en Burdeos, lo que significaba la desaparición de Brune en la ciudad.

Dice Díaz-Plaja en el ya mencionado libro que recomiendo sin reservas: «A pesar de los ardores revolucionarios que un día sintiera Teresa, a pesar de que fuera cierta la ascendencia noble de Tallien —leyenda fabulosa y tardía—, media todavía espacio insondable entre ambos. Teresa llega a la Revolución desde un piso alto; si no desde el más altivo, propio de los reyes y de la aristocracia de la sangre, sí desde un lugar noble; ha jugado a vestirse de ciudadana. Tallien sube de lo más bajo: ha hecho todos los oficios y ninguno con gracia, es el típico espécimen de los ríos revueltos y, si viste con elegancia, es con el amaneramiento que copia de Robespierre; sus modales responden, más que a su vestir, a la turba inmunda de que se rodea, los Endron, Bertran, Brune, Isabeau, Dorgueil... Teresa estuvo en Fontenay-aux-Roses cuando Tallien rezumaba la bilis del resentido, del despechado porque no le alcanzan las partes primeras del festín social. Luego, el mundo dio tantas vueltas que materialmente casi estuvieron a la par ambas cabezas; pero por dentro, ¡qué diferencia! Teresa conserva todavía su elegancia innata, aquel sentido maravilloso del *savoir faire* que enloquecía a sus admiradores. Tallien no es una grosera bestia, no es un revolucionario cansado de destripar terrones, pero es quizá peor porque es el intelectual más bajo que existe, el libelista, el hombre que tiene más culpa que muchos otros porque usa del arma de la letra para alabar a Marat y a los asesinos de Septiembre, es decir, para elogiar a lo más mezquino y sangriento de la Revolución.»

Cuando mucho después se le reprochó a Teresa su unión con Tallien, ella no dijo más que:

—No se puede escoger la tabla de salvación cuando se está en plena tempestad.

Vale decir que Teresa aprovechó la situación para hacer

todo el bien que pudo. Carecía de todo sentido moral pero era una sentimental hasta las lágrimas. Cuando le dijeron que podía pedir dinero a cambio de favores que obtenía como pasaportes, certificados de ciudadanía, etc., rechazó primeramente la idea pero luego, viendo que con lo que unos pagaban podía obtener beneficios para otros impecunes, no vaciló en cobrar cuanto podía. De ser conocida esta actitud no hubiese sido tan criticada, pero la gente veía únicamente que cobraba y no sabía los muchos servicios que estos dineros proporcionaban a los miserables, que eran muchos pues la Revolución había arruinado multitud de familias.

Entre otras cosas la Revolución había abolido el culto cristiano. Las iglesias habían sido convertidas en clubes en donde se reunían los ateos o los que creían serlo, además de los que por cobardía querían disimular sus propios sentimientos y creencias y discutían entre ellos de los principios revolucionarios, de libertad, fraternidad e igualdad. En París, en la catedral de Notre-Dame se celebró el culto a la Razón: la nave despojada de imágenes y cuadros alberga un altar imitación de las aras griegas en el que llamea la antorcha de la Razón. Una ceremonia que quiere ser similar a las que los paganos celebraban en la Iglesia antigua, y que no era sino su parodia, se desarrolla en el templo. Una actriz que representa la libertad vestida de blanco con manto azul, gorro rojo y una lanza en la mano se inclina ante el fuego y se sienta presidiendo el nuevo rito.

En provincias se siguió lo impuesto desde París; así, en Burdeos se preparó una mascarada parecida a la de la capital. Como se tenía que pronunciar un discurso, Teresa Cabarrús lo redactó para que su amigo Tallien se luciese. Como tenía que haber una diosa Razón, Teresa Cabarrús fue naturalmente escogida para este papel. La ceremonia se celebró el 30 de diciembre de 1793 y después de ella nadie pudo dejar de creer que Teresa era una verdadera revolucionaria.

Tallien quiso que Teresa fuese a vivir con él. Teresa rechazó el ofrecimiento diciendo:

—Sólo lo haré cuando la guillotina haya desaparecido.

Lo que consiguió hasta el punto que mientras en toda Francia la sangre corría a borbotones, en Burdeos sólo hubo diez ejecuciones en febrero y ocho en marzo.

Pero en París esta actitud no gustó en absoluto. Cuando Robespierre se enteró, mandó llamar a Tallien que fue sustituido por Ysabeau. Teresa le invitó a cenar y se sacrificó una vez más en pro del bien público. Lo mismo sucedió cuando el sucesor de Tallien, un muchacho de dieciocho años, quiso modificar la situación. Otro sacrificio por parte de Teresa y la situación quedó como estaba.

Robespierre iba de indignación en indignación mientras en Burdeos la gente sustituía sus primeros sentimientos por otros más favorables a Teresa, hasta el punto que la empezaron a llamar «Nuestra Señora del Socorro». Organizaba salidas en barco de individuos perseguidos, salvando así muchas vidas, repartiendo pasaportes y certificados de ciudadanía a todo aquel a quien podía ayudar. A esta tarea se dedicaba en cuerpo y alma, y esta vez la frase debe entenderse en su sentido más liberal.

Un autor francés, Arsène Privat, en su libro *Terreur à Bordeaux*, dice lo siguiente que debe tomarse con cierta reserva: «Teresa estaba dotada de un temperamento exigente. Era necesario que llegase a la inconsciencia, al desmayo, al síncope para ser feliz. Frecuentemente un solo hombre no llegaba a llevarla a este estado y entonces recurría a la amabilidad de un vecino, de un invitado o de cualquiera que pasase por la calle para suplir la falta de fuerzas de su amante fijo.

»Tallien, como es natural, no toleraba la ayuda de nadie en esta cuestión. Quería trabajar solo, lo que le conducía a veces a récords extenuantes y dignos de los dioses de la antigüedad.

»Después de las luchas amorosas, cuyas combinaciones eran cada vez más complicadas, el valiente amante caía extenuado al borde de la cama, sin fuerza. Teresa Cabarrús lanzaba entonces su grito de guerra y a patadas, arañazos y mordiscos llegaba a reanimar un poco a Tallien.

»Pero a veces sucedía que a la octava o la novena intentona los esfuerzos de la ardiente mujer dejaban de producir efecto. Furiosa por el deseo, amenazaba entonces de hacer fabricar una pequeña guillotina que en su delirio lúbrico destinaba a la virilidad deficiente de su amante.

»Estos accesos de cólera, que se acompañaban de groseros insultos, no producían ningún efecto en Tallien; por el contrario, el pobre hombre se sentía abrumado. Cuanto más se gritaban más disminuía su deseo. Finalmente la ex marquesa, con espuma en los labios, rugía, se revolcaba sobre la alfombra y se libraba a excentricidades cuya vista daba algún vigor al desgraciado revolucionario que mostraba en su cuerpo algún signo de interés.»

Uno se pregunta de dónde había sacado la información el historiador que esto escribió.

Tallien había triunfado en París, a pesar de la enemiga de Robespierre. Éste veía con malos ojos al individuo que decía en la Convención: «Hemos sido suficientemente afortunados para devolver esta importante municipalidad [Burdeos] a la República sin haber vertido una sola gota de sangre patriótica.» Decir esto cuando en París la guillotina manaba sangre a chorros era algo que parecía impensable. El 21 de marzo, cuando Tallien tenía veinticinco años, es nombrado presidente de la Convención Nacional. Es su gran triunfo.

Pero Robespierre actúa en Burdeos y logra que Teresa tenga que abandonar la ciudad. Ella dice que se instalará en Orleans, pero en realidad se instala en Fontenay-aux-Roses, la antigua propiedad de la familia de su marido. Sin embargo, pocos días después el Comité se presenta en su casa. Asustada, Teresa escribe a Tallien, que llega en seguida a Fontenay. Ha cambiado en pocos días. Está asustado, desconfiado. Ha visto en París cómo se movía la máquina implacable del Terror que había implantado Robespierre, el cual se deshacía de sus enemigos aunque se llamasen Hebert o Danton o Desmoulins. Los grandes de la Revolución iban siendo guillotinados uno tras otro. Robespierre, un día que se encontró en la Convención con Tallien, dijo a un amigo: «La vista de este Tallien me da escalofríos.» Lo cual en aquellos momentos equivalía a una amenaza de muerte.

Durante su viaje a Orleans, Teresa se había parado en un pueblo del camino. Abandonando un instante la diligencia, Teresa se sentó sobre el transversal de una cruz que se encontraba al borde del camino. Un joven la contemplaba admirando su belleza y la gracia de su posición. Al final se acercó a la bella viajera y le pidió con perfecta cortesía si quería aceptar un refresco. Este joven era el conde José de Caraman, cuyo padre, marqués de Caraman, era el propietario del castillo de Memars, uno de los más importantes de la región. La fugitiva aceptó el ofrecimiento. Once años más tarde aceptaba la mano del amable conde. En esta época una cruz de imponentes dimensiones fue erigida en acción de gracias en el lugar en que se había sentado, consagrando el primer encuentro de los futuros esposos. Son palabras de Luis Sonolet en su libro *Madame Tallien*.

Un personaje curioso se movía entonces por los pasillos de la Convención. Era un diputado que, enemigo de Robespierre, trabajaba para derribarlo. Se llamaba Fouché. Mal orador y sospechoso de muchos actos indignos, no se atrevía a enfrentarse con su enemigo y pensó que Tallien serviría para el caso.

Teresa se aburría en Orleans, donde cautivó a un nuevo amante llamado Guery. Tenía catorce años pero a pesar de ello le duró unos días, al final de los cuales decidió volver a París en donde, con total inconsciencia, se paseaba del brazo de Tallien por las galerías del Palais-Royal.

Fouché, enterado de ello, ideó un plan maquiavélico. Se hizo amigo de un tal Taschereau, policía de Robespierre, pero que jugaba no a dos barajas, sino a cuatro o cinco y que aceptó el plan de Fouché calculando que, saliera como saliese, siempre saldría ganando. Para ello hizo que Teresa se trasladase a Versalles en una casa segura, y mandó al mismo tiempo que hiciesen un registro en Fontenay-aux-Roses con una orden de arresto contra Teresa Cabarrús. Se hizo el correspondiente registro en la casa, en el que encontraron numerosas maletas y un joven escondido en un armario. Era el pobre Guery, al que Teresa había abandonado en Fontenay.

Robespierre llamó a Taschereau y le mandó que por todos los medios averiguase dónde se encontraba Teresa y la detuviese, conduciéndola a la cárcel de la Force. Taschereau le dijo entonces:

—Tengo una buena noticia que darte. Mis agentes conocen dónde vive la Cabarrús. Se la encontrará en el número seis de la calle de la Unidad.

Inmediatamente después de salir de la entrevista con Robespierre, Taschereau advirtió a Fouché y a Tallien de los proyectos de Robespierre. Advertidos éstos, tomaron la decisión de derribar como fuese a Maximiliano Robespierre, y para ello se reunieron con buena parte de los diputados de la Convención, que veían que, si continuaba Robespierre en el poder, seguirían la suerte de Danton y sus compañeros.

El coche en que Teresa fue conducida a la cárcel pasó por la plaza de la Revolución, hoy plaza de la Concordia, donde se levantaba la guillotina.

—Mira, ciudadana —dijo uno de los policías—, éste será tu próximo amante.

En la cárcel, Teresa se encontró con un ambiente insospechado. Durante todo el Terror la aristocracia francesa, tan frívola y superficial en apariencia, dio muestras de que si no sabía vivir decentemente sabía morir con serenidad. Se dio el caso de ser llamados para la guillotina, levantarse los interesados, hacer una reverencia de corte a los que quedaban y salir impávidos hacia la muerte. Una de las prisioneras, no obstante, daba muestras de miedo indisimulado; se llamaba Rosa Tascher de la Pagerie de Beauharnais. Teresa se hizo amiga de ella y le daba ánimos. Así se inició una amistad que perduró cuando Rosa cambió su nombre por el de Josefina y se casó con un general que llegó a alcanzar renombre: Napoleón Bonaparte.

Un día de julio Robespierre dicta la sentencia de muerte contra Teresa Cabarrús y Tallien recibe por conductos secretos una carta de Teresa.

En la Force, 7 Termidor.

El administrador de policía acaba de salir de aquí; ha venido a anunciarme que mañana compareceré ante el tribunal, es decir, que subiré al cadalso. Ello se parece un poco al sueño que he tenido esta noche: Robespierre ya no existía y las cárceles estaban abiertas de par en par. Pero gracias a tu insigne cobardía pronto no habrá en toda Francia nadie capaz de realizar mi sueño.

Tallien no podía perder más tiempo. Teresa comparece ante el tribunal el día ocho y la sentencia se tiene que ejecutar el nueve. Es preciso, pues, adelantarse a los acontecimientos.

Se reúne la Convención y cuando entra Robespierre vestido con su habitual elegancia, con un vestido azul celeste, el público de las galerías aplaude. Los conjurados se sientan nerviosamente en sus puestos. A la tribuna de oradores sube Saint-Just, el hombre de confianza de Robespierre. Como siempre, acusa indirectamente a alguien y Tallien le interrumpe:

—Déjate de medias palabras. Di quiénes son los culpables.

Antes de que Saint-Just pudiera hablar, un diputado toma la palabra y acusa directamente a los miembros del Comité. Robespierre se levanta y quiere hablar, pero se lo impiden las voces de los diputados. Cuando quiere subir a la tribuna, Tallien se le adelanta y habla. El hombre de los tópicos desaparece para dar lugar a un orador que descubre sus posibilidades de serlo gracias al impulso que le proporciona el recuerdo de una mujer adorada. Ataca a Robespierre, le llama tirano, usurpador, le hace responsable de los millares de víctimas que el Terror ha producido. En un momento del discurso saca del bolsillo un puñal y dice que está dispuesto a clavárselo en el pecho. Los diputados gritan, Robespierre quiere hablar y le gritan:

—Vete, la sangre de Danton te ahoga.

Loco de furor, Robespierre se dirige al presidente de la Convención:

—Por última vez, presidente de asesinos, pido la palabra.

Tallien salta:

—Nos ha tratado de asesinos.

Y un diputado llamado Louchet grita las fatídicas palabras:

—¡Que se le acuse, que se le arreste!

Robespierre y sus amigos son detenidos y conducidos al Comité de Seguridad General en el que Robespierre quiere suicidarse, pero su pistoletazo no hace más que fracturarle la mandíbula. Más tarde correrá la leyenda de que un gendarme llamado Merda había intentado asesinarle. La verdad es que quiso suicidarse.

Los prisioneros de la cárcel de la Force oyeron de pronto los gritos de una multitud. ¿Iban a asaltar la prisión y asesinar a los prisioneros? Fueron unos momentos de confusión y miedo, pero pronto se transformaron en otros de alegría y satisfacción. Los gritos que se oían decían:

—Robespierre ha sido detenido.

Teresa se había salvado.

Una española de Carabanchel de veintiún años de edad había derribado al Terror, iniciando así el fin de la Revolución francesa.

Al día siguiente, Robespierre y sus compañeros eran conducidos a la guillotina. Subieron al cadalso con la misma serenidad con que lo habían hecho los aristócratas. En realidad no se sentían culpables de nada. ¿El Terror? ¿La guillotina? Una revolución no puede hacerse sin sangre. Robespierre, con el traje azul celeste que llevaba el día anterior manchado de sangre y la mandíbula vendada, miraba a su alrededor sin demostrar más que indiferencia. Saint-Just contemplaba por última vez aquellos hombres que días atrás le aclamaban y ahora le insultaban. Debía pensar en la versatilidad de las masas. Subió al patíbulo sin vacilar y su cabeza rodó hasta unirse con las de sus compañeros.

Mientras tanto Tallien se presentó en la cárcel en la que estaba Teresa. Aquel día, al entrar el carcelero en la gran sala donde se encontraban los presos, en vez de recitar la lista habitual dijo simplemente:

—La ciudadana Cabarrús.

Teresa vaciló. ¿Qué le esperaba? En el corredor se encontraba Tallien, que la abrazó.

—Teresa, he hecho lo que me has pedido. He derribado al tirano, eres libre.

Tallien la besó con furia. La llevó a la habitación del portero de la cárcel y allí hicieron el amor nuevamente.

Teresa obtuvo en seguida la libertad de Josefina Beauharnais, quien, más adelante, se mostró como una buena amiga.

El coche que los llevaba hacia la casa de Tallien fue parado en el Pont-Neuf por la multitud. El cochero gritó:

—¡Dejad pasar al ciudadano Tallien!

La multitud empezó entonces a gritar:

—Es Tallien. Es Tallien. El vencedor de Robespierre. ¡Villa Tallien!

Éste se levantó.

—Ciudadanos, he aquí quien me ha dado la fuerza para atacar a Robespierre. Ha sido ella quien ha derribado la guillotina.

La multitud se agitó gritando:

—¡Viva Madame Tallien! ¡Viva Madame Tallien!

Y una mujer gritó:

—¡Viva Nuestra Señora de Termidor!

Con ese nombre ha pasado a la historia.

Teresa se vio obligada a casarse con Tallien, cosa que en realidad no le hacía mucha ilusión. En el fondo ella continuaba siendo una aristócrata del Antiguo Régimen, lo que demostró en seguida organizando una vida de relación y de diversiones totalmente alejadas de los principios de la Revolución. Tallien desaparecía ante la popularidad y la brillantez de su esposa, que triunfaba en los salones y ante el pueblo. Orgullosa de su belleza y de su cuerpo, puso de moda el llamado vestido clásico que recordaba las túnicas transparentes que se atribuían a las romanas de la antigüedad. Se presentó con una de ellas en una función de la Ópera. El vestido era transparente y todo el mundo pudo comprobar que no llevaba nada debajo, lo que no impidió o quizá provocó el aplauso de todos los asistentes. Impuso la moda de los cabellos cortos, cortados según lo hacía el verdugo con las mujeres destinadas a la guillotina.

De todos modos alguien protesta en la Asamblea de la Convención, y el 2 de enero de 1795 Tallien tiene que defenderla ante los diputados.

—... Se ha hablado en esta Asamblea de una mujer. No hubiera creído que pudiese ocupar las deliberaciones de la Convención Nacional. Se ha hablado de la hija de Cabarrús. Pues bien, yo declaro en medio de mis colegas, ante el pueblo que me escucha: esta mujer es mi esposa. [Aplausos repetidos.] ... La conozco hace 18 meses; la he conocido en Burdeos; sus desgracias, sus virtudes me la hicieron estimar y querer. Llegada a París en tiempos de la tiranía y la opresión, fue perseguida y metida en la cárcel. Un emisario del tirano fue a verla y le dijo: «Escribid que habéis conocido a Tallien como a un mal ciudadano y se os dará la libertad y un pasaporte para ir a tierras extranjeras.» Rechazó este vil medio y no salió de la cárcel hasta el 12 de termidor y se encontró entre los papeles del tirano una nota para mandarla al cadalso. He aquí, ciudadanos, he aquí a la que es mi esposa. [Aplausos.]

Teresa Cabarrús, ahora Teresa Tallien, recibe en sus salones a Josefina de Beauharnais y a intelectuales como madame Staël, a quien, como dice muy bien Díaz-Plaja, Teresa invita a menudo porque a pesar del éxito que tiene la escritora no la considera rival apreciable; bien sabe que la mayoría de los hombres buscan más ver unos labios femeninos que oír las palabras que pronuncian.

La casa en la que viven los Tallien se encontraba en la avenida de las Viudas, hoy avenida Montaigne, y estaba situado más o menos en el actual número 4 y a ella acuden músicos como Auber, Cherubini, pintores como Carlos Vernet y políticos como Sieyés y Barras. Este último cada vez más asiduo, entusiasmado por las gracias, no de Teresa, sino de Josefina de Beauharnais, de la que será amante hasta que ella se case con Napoleón.

Poco después de la boda, Teresa dio a luz a una niña, a quien llamarán Rosa Termidor, y los contertulios se preguntan quién será el padre porque, sean ciertos o no, a la ciudadana Cabarrús se le atribuyen multitud de amantes. Una cosa es segura: es lo suficientemente coqueta como para no tenerlos y es lo suficientemente sensual como para tenerlos.

Tallien es nombrado comisario junto al general Hoche para dar la batalla a los Chuanes que en la Bretaña se alzan en favor de la Monarquía. Hoche los derrota y Tallien les promete el indulto porque, según dice, la República no quiere terror, sino concordia. Pero al volver a París se ve acusado de monarquismo y para salvarse reniega de su promesa y los Chuanes son condenados a muerte y fusilados. Teresa, cuyo buen corazón nadie discute, tiene un gran disgusto y reprocha a su marido su cobardía. Es el principio del fin.

Teresa busca otro hombre de su vida y lo encuentra en Barras, que coquetea con Josefina de Beauharnais. La sustitución se hace rápidamente y Tallien queda relegado a segundo término. Por los salones de Teresa circula un general de Artillería, es menudo, es pobre y no tiene dinero para comprarse un uniforme nuevo. Teresa se lo proporciona y Napoleón Bonaparte se lo agradece profundamente, tanto más cuanto que se siente atraído por Josefina de Beauharnais, a quien Barras ha dejado libre. Teresa se da cuenta del interés del general y arregla las cosas tan bien que, cuando el 2 de marzo Barras, por una parte, le consigue el mando del ejército de Italia, el 6 se casa con Josefina. Ella tiene 33 años, él 27, los dos declaran tener veintiocho. Josefina aporta al matrimonio dos hijos de su anterior marido, Napoleón su ambición y su esperanza en el futuro.

Poco a poco la vida de las dos, de Josefina y de Teresa, se irán separando, pero de momento están muy unidas y Josefina se consuela de la ausencia de su marido coqueteando descaradamente. Poco a poco también la popularidad de Teresa va decayendo. En su frivolidad no se da cuenta de que la masa es cambiante y el populacho está pronto siempre para odiar a aquella que había ensalzado. Es como una especie de vergüenza o de remordimiento por haber elevado a alguien por encima de sus mediocridades o inferioridades manifiestas.

Pero también su unión con Barras duró relativamente poco. El no era hombre de sentimientos nobles ni casi de ninguna clase. Era hombre sin escrúpulos, y lo demostró cediendo Teresa a un banquero especulador llamado Ouvrard a cambio de una participación en los negocios. El golpe fue terrible para Teresa. Haberse convertido en mercancía de trueque era lo último a lo que podía llegar. Pero la suerte estaba echada. Como una cortesana tarifada, como una prostituta sometida al poder de un chulo, Barras la había vendido a Ouvrard; era el fin de una vida de locuras y aventuras, era la transformación de una mujer brillante y protagonista de la historia en cortesana vulgar y adocenada. Y nada podía contra ello. Se resignó a una vida aburguesada y sin interés. Por un momento pensó en escapar de ella, pero pronto vio que no tenía ni dinero ni posibilidades de hacerlo. Ya no galvanizaba a la multitud y sus amistades la miraban de otra manera.

Entonces se dirige a Josefina para que la ayude y la ampare, pero Napoleón se opone a esta amistad. Corre la voz de que el futuro emperador había cortejado a madame Tallien y ésta le había desdeñado. Pudiera ser y, si así fuese, no era Bonaparte hombre para olvidar fracasos.

La nueva sociedad que se crea con el Consulado es una mezcla de los supervivientes de la desaparecida Monarquía, de los supervivientes del Terror y la Revolución y de los nuevos triunfadores de la situación. Los primeros no pueden olvidar la traición que Teresa hizo a su clase, los segundos quieren olvidar todo lo referente a una Revolución que ahora les avergüenza o les abruma, los últimos tienen ya sus nuevas diosas a quienes rendir culto.

Napoleón organiza primero en el Consulado luego en el Imperio una Corte que se rige por normas muy distintas a las del Antiguo Régimen. Un día se encuentra con Teresa en una fiesta y cuando ella le solicita poder entrar en la Corte recibe una seca respuesta:

—Reflexionad, Teresa, debo dar ejemplo de moralidad a Francia. Os aprecio como hombre, pero como primer cónsul mis actos son públicos y ante el pueblo. Recibiros en mis salones sería dar el beneplácito a una época que ya ha muerto en la historia de Francia.

Teresa acepta, como no podía ser de otra manera, la sentencia de Napoleón. Se ha aburguesado. Ouvrard la deja encinta cuatro veces, tres hijas y un hijo son el resultado. La primera hija fundará una congregación religiosa, la segunda dirigirá un periódico, la tercera hará un casamiento burgués, el hijo será un famoso médico y hombre muy importante en el ambiente intelectual e ingenioso del siglo XIX. Los cuatro llevan el nombre de Tallien, el marido oficial de Teresa, pues es natural que no puedan llevar el nombre de Ouvrard. Más adelante, cuando su madre se case otra vez, solicitarán llevar el nombre de Cabarrús, cosa que les será concedida.

El ocho de abril de 1802 Teresa se divorcia de Tallien. Éste, derrotado física y moralmente, se encuentra en la miseria. Teresa, ya no como esposa sino como amiga, le ofrece ir a vivir a una casa que tiene en los Campos Elíseos. Tallien, que a veces no sabe dónde ir a comer, acepta agradecido.

Poco después rompe también con Ouvrard. Los hijos se quedan con ella. Ya es libre. Vuelve a ser solamente Teresa Cabarrús, que el día de la coronación de Napoleón como emperador de los franceses y de Josefina como emperatriz llora en casa pues no ha sido invitada.

Pero la vida de Teresa no puede acabar así, tan vulgarmente. Un día, en un baile, se encuentra con un hombre que la mira con mucha atención; es un poco mayor que ella. La dueña de la casa, que lo observa, procede a la presentación. Es el conde José de Caraman. En toda la velada el conde no deja sola a Teresa y quedan para verse más adelante. Los encuentros se hacen cada vez más frecuentes. La vida en Francia ha sido tan variada en estos últimos años que entre Caraman, antiguo aristócrata emigrado, y la Cabarrús, antigua diosa de los revolucionarios, llega a establecerse una fuerte amistad. Pertenecen a dos mundos distintos pero, como sucede tantas veces, viven todavía en un mundo que desapareció, y esto les une. Un día recuerdan cierto encuentro en una carretera francesa cuando Teresa huía de Burdeos, aquello les une más. ¿No sería que el destino los había destinado el uno para el otro? Caraman lo cree así y se declara. Ella finge rechazarle. ¿Cómo recibirá su familia la noticia de una boda? El amor del conde crece más ante las dificultades, hasta el punto de que cuando su padre, Víctor Mauricio Riquet-Caraman, antiguo teniente general del ejército y perteneciente a una de las familias linajudas de Francia, se entera de que su hijo quiere casarse con Teresa Cabarrús, Teresa Tallien, Teresa Ouvrard, Nuestra Señora de Termidor, se niega absolutamente a dar su consentimiento. Su hijo hace caso omiso de él y se decide a casarse sin el permiso paterno. Pero hay un inconveniente. Si el matrimonio con Tallien fue puramente civil y el divorcio lo había anulado, no ocurría así con el primero efectuado con el marqués de Fontenay y realizado ante la Iglesia. Pero Caraman, ciego de amor, decide casarse civilmente para hacerlo algún día por la Iglesia en cuanto sea posible.

Así se hizo. Una de las primeras personas a quien visitó Teresa en su nuevo estado fue Josefina, la emperatriz, quien inocentemente la recibe y da cuenta de ello a Napoleón. La contestación de éste fue terrible:

Amiga mía: ... Te prohibo ver a madame Tallien bajo ningún pretexto; no admitiré ninguna excusa sobre el particular. Si piensas en mi estimación querrás complacerme, no infrinjas jamás la orden presente. Ella querrá ir a tus departamentos y permanecer en ellos durante la noche: prohibe a tus porteros que la dejen entrar. ¡Un miserable la ha desposado con ocho bastardos! La desprecio mucho más que antes. Podía haber sido una muchacha agradable y se ha convertido en una mujer de horror e infamia...

Teresa ve cerradas definitivamente las puertas de la corte, y con ello su vida social en París. Afortunadamente su marido une al título de conde de Caraman el de príncipe de Chimay, uno de los más antiguos del Sacro Imperio. Teresa va a Bélgica, a sus posesiones de Chimay, y allí vivirá treinta años, la etapa más larga de su vida, que, en contraposición con la más corta, no tendrá sobresalto alguno. Sólo alguna fuerte desilusión. La corte belga no la acepta y su marido, que tiene la obligación de asistir a las fiestas del rey Guillermo, tiene que ir solo pues su mujer no es admitida en ellas.

Otra noticia importante para Teresa es la de la muerte de su primer marido, el marqués de Fontenay. Ello le permite casarse por la Iglesia con su actual marido. Un día recibe la noticia de la muerte de Tallien, pobre y desgraciado. Napoleón le había hecho la limosna de darle el cargo de cónsul de Francia en Alicante, pero tampoco en esto tuvo suerte el pobre Tallien, que tuvo que huir de la ciudad en 1808.

Otro día la noticia es la caída de Napoleón. Con ello puede volver a París, lo que hace el año 1830. Durante su estancia en la capital se representa un drama en el teatro Ambigu titulado *Robespierre*. Teresa quiere ir a verla y su hijo le aconseja que no lo haga pues teme alguna alusión desagradable para su madre. Ella insiste y por fin va al teatro. En un momento en la escena un criado abre una puerta y dice:

—La ciudadana Tallien.

Teresa se desmaya y es sacada en brazos de la sala. Al volver en sí murmura a su hijo:

—¿Te has fijado lo mal vestida que iba la actriz que me representaba?

La coqueta vencía a la dama de sociedad.

Murió en Chimay un 18 de enero, mientras decía:

—¿No es verdad que mi vida parece un sueño?

Al entierro acudió todo el pueblo, no en vano la antigua Nuestra Señora de Termidor se había convertido en aquellos años en la «madre de los pobres», como todo el mundo la llamaba.

Al fin y al cabo era una mujer sentimental y de buenos sentimientos.

Tenía sesenta y dos años.

Año 1847

De cómo el romanticismo elevó a heroína de novela la vulgar historia de una joven prostituta de postín

LA DAMA DE LAS CAMELIAS

Hace unos años fui a un cine de Barcelona a ver el filme *La traviata* de Franco Zeffirelli, con Plácido Domingo y Teresa Stratas como protagonistas. En el cine se encontraban unas treintena de muchachitas de catorce o quince años, alumnas de un colegio religioso. Iban acompañadas de dos profesoras monjas; pregunté a éstas cuál era la razón de su presencia allí y me contestaron que era para iniciar a las alumnas en el mundo de la música, lo cual encontré muy puesto en su punto. Sin duda alguna la ópera de Verdi es un buen comienzo para una educación musical.

Pero no dejé de comentar entre mí lo que va de ayer a hoy. *La traviata* es una ópera basada en la novela *La dama de las camelias* de Alejandro Dumas hijo; la escribió cuando contaba unos veintidós años y tuvo tal éxito que la transformó años después en drama teatral. La novela es de 1848 y el drama de 1852.

Es la historia sentimental de una prostituta, y el 22 de junio de 1863 fue incluida en el epígrafe de *Omnes fabulae amatoriae* en el Índice de los libros prohibidos. Como he dicho antes, lo que va de ayer a hoy. De obra prohibida a espectáculo para colegios de monjas. En italiano y cantada gana mucho la moral.

La novela empieza con la subasta de los bienes de Margarita Gautier, célebre cortesana muerta de tisis a los veintidós años. El narrador, que es el propio autor Alejandro Dumas, compra un ejemplar de *Manon Lescaut* del abate Prévost, que lleva la dedicatoria «Manon a Margarita como testimonio de humildad», y firma Armando Duval. Fíjese el lector en la coincidencia de las iniciales A. D. entre Dumas y Duval.

Pocos días después de la subasta se presenta en casa de Dumas el Armando Duval de la dedicatoria, que le solicita encarecidamente que le ceda el libro. Así lo hace Dumas y los dos jóvenes inician una fuerte amistad. Armando quiere a toda costa trasladar de sepultura el cuerpo de Margarita, confesando que lo hace para verla por última vez. Logrado el permiso, al contemplar el cadáver Armando se desmaya.

Días después Duval explica a Dumas la historia de sus relaciones con Margarita Gautier. Se enamoró de ella el primer día que la vio. Llevaba un ramo de camelias blancas, como era su costumbre. Sólo las llevaba rojas unos días cada mes para que sus amantes supieran que no estaba dispuesta. Después de unos fugaces encuentros entabló relación con ella, aunque sabía que estaba tísica y que su poder económico no estaba a la altura que ella exigía. Se enamoró como un adolescente y aun sabiendo la vida que llevaba pasaba por alto su profesión con tal de tenerla a su lado de vez en cuanto. Tuvieron sus altercados y discusiones, siempre provocados por celos de los diversos amantes que asediaban a Margarita.

Un anciano duque extranjero, paternal amante de la Gautier, ya que a su edad no podía hacer otra cosa, alquiló para ella un chalé en Bougival, en las afueras de París. El duque veía en Margarita el retrato de una hija suya muerta de tuberculosis, la enfermedad romántica por excelencia.

Los amantes decidieron volver a París, donde Margarita vendería sus coches, caballos y alhajas para poder vivir plácidamente al lado de su amado. Pero Armando, que había ido a la capital para hablar con su padre de su situación, se vio sorprendido al ver que durante su ausencia Margarita había vuelto a París sin decirle nada, reanudando su vida de prostituta elegante.

Completamente anonadado, Armando se retiró al campo y luego volvió a París, donde se dedicó a ofender públicamente a Margarita, que soportó sus ofensas sin protestar. Armando decide viajar a Oriente y cuando se halla en Egipto recibe una carta de Margarita en la que le dice que se halla gravemente enferma y que, viéndose morir, quiere despedirse de él. Si ello no era posible, una amiga suya le entregaría un manuscrito en el que le explicaba el porqué de su proceder.

El manuscrito es un diario en el que Margarita detalla el proceso de su enfermedad y explica cómo, adorando a Armando, volvió a su vida de prostituta, que hubiera querido olvidar, debido al ruego que el padre de Armando le hizo para que no destrozase el porvenir y la felicidad de una hija próxima a casarse y cuyo matrimonio no se realizaría mientras Armando fuese su amante, debido a los prejuicios de la familia del novio.

Armando comprende entonces el sacrificio de su amada y el porqué del fin de su historia de amor.

El 6 de marzo de 1853 se estrenó en el teatro La Fenice de Venecia la ópera *La traviata*, libreto de Francesco Maria Piave y música de Giuseppe Verdi. El libreto, basado en el drama de Dumas, contiene algunas variantes. Por ejemplo, Margarita Gautier pasa a llamarse Violetta Valery y Armando Duval, Alfredo Germont. En el estudio preliminar que Roger Alier publica en su edición del libreto de la ópera (Ed. Daimon) se cuentan las vicisitudes de la obra. Entresaco dos que me parecen curiosas. «*La traviata* une a la condición de drama humano el de ser una historia de la vida cotidiana contemporánea de la época en que se estrenó (aunque hoy en día, por los años que han transcurrido, nos parezca un drama histórico como otros). Con todo, es falso cuanto se ha dicho de que *La traviata* fracasó el día de su estreno por su carácter de obra contemporánea, puesto que la dirección del teatro La Fenice de Venecia, temiendo previamente una reacción adversa de un público habituado entonces a los dramas históricos, hizo situar la ópera en el siglo XVIII con el vestuario adecuado. Esa costumbre persistió en los primeros años y así podemos leer en los libretos de la época la indicación de que la acción se desarrolla *nel 1700 circa*, o sea aproximadamente en 1700.»

La segunda anécdota es la siguiente.

La fuerza irresistible de la partitura venció ya en su tiempo los obstáculos que el argumento, considerado muy inmoral, podía suponer a su difusión en el mundo de la pudibundez victoriana de la segunda mitad del siglo XIX. Así, no deja de ser gracioso observar que, cuando se estrenó esta ópera en el teatro Principal de Barcelona en 1855, los responsables de la edición del libreto creyeron necesario tratar de convencer a los lectores de que la síntesis del argumento era la siguiente:

«Una mujer que se descarrió, que se separó del recto camino de la virtud y se entregó a toda clase de desórdenes para seguir ciegamente sus pasiones, llega por fin a convencerse de que la religión solamente es la que puede consolar y satisfacer nuestro corazón. La causa primera de este cambio es sin duda el verdadero amor del joven Alfredo, que pudo por fin arrancar a Violeta de su encenegamiento *(sic).*

Esta actitud no era un caso aislado, como lo demuestra que la edición del libreto, realizada al año siguiente en Palma de Mallorca, cuando se estrenó *La traviata* en esa ciudad, llevase idéntico texto aclaratorio.

Todo eso es novela, drama y ópera. Pero ¿qué dice la historia? Porque Margarita Gautier existió de verdad. Su nombre auténtico era Rose-Alphonsine Plessis y era conocida en el ambiente galante de París como María Duplesiss. Había nacido en Saint-Germain de Clairefeulle el 15 de enero de 1824. Saint-Germain es una pequeña aldea de la baja Normandía que no he encontrado citada en ninguna de las guías que poseo.

Una de sus abuelas era prostituta y uno de sus abuelos un cura que había colgado los hábitos. Su padre, Marin Plessis, vendedor ambulante borracho y vagabundo; y su madre, una sirvienta que abandonó la familia y dejó a la niña con un primo suyo, de profesión granjero, que no se cuidó de ella para nada. A los doce años María conoció su primer amante, que era un mozo de la granja. Cuando su pariente se enteró, devolvió a María a su padre para que cuidase de ella.

María cumplió trece años y fue entregada por su padre a un rico soltero llamado Plantier a cambio de una suma de dinero. Con él estuvo un año hasta que Plantier se cansó. Volvió con su padre y se empleó de criada en una taberna, pero su padre determinó abandonarla en manos de unos parientes lejanos que vivían en París, donde regentaban una tienda de comestibles.

La muchacha se cansó de su trabajo y se fue a vivir al Barrio Latino en compañía de unos estudiantes, haciendo de vez en cuando recados para tiendas del barrio y prostituyéndose cada vez más.

Un escritor francés, Nestor Roqueplan, explicó que junto a un vendedor de patatas fritas vio a una muchacha bonita, delicada y sucia; conmovido, le compró una bolsa de patatas que la chica comió no ya con apetito, sino con hambre. Dos años más tarde la volvió a ver en compañía de aristócratas y gente de la alta sociedad, como el duque de Guiche-Grammont.

Se llamaba o se hacía llamar María Duplessis. «Escogí María porque es el nombre de la Virgen y Duplessis para darme un poco de importancia aristocrática y recordando una propiedad importante de mi pueblo natal.»

Un biógrafo escribe: «A la edad de dieciséis años no era más que una ruda muchacha campesina de la que los aldeanos decían que había sido vendida por su padre, que tenía mal de ojo. Apenas sabía leer y escribir. Cuatro años más tarde sería convertida en una mujer refinada que dictaba normas de buen gusto en el frívolo París; tenía en su casa seis sirvientes, leía a Víctor Hugo, Eugenio Sue y Alfredo de Musset; en su casa se reunían representantes de la aristocracia francesa; su conducta se comentaba en los salones del faubourg Saint-Germain y los hombres más ricos de Francia se arruinaban por ella.»

La evolución se había producido en forma rápida pero gradual.

Cuando tenía dieciséis años, María fue a comer con un grupo de amigos a un restaurante en las cercanías de París; el tabernero quedó hechizado por la belleza de la joven de dieciséis años y le hizo proposiciones para que se quedase con él. Así lo hizo María, que veía asegurada su comida diaria. Pero el propietario, celoso de los clientes que bromeaban con María, la instaló en París en un pequeño apartamento en la calle de la Arcade, cercana a la iglesia de la Madeleine.

Éste fue el inicio de su meteórica carrera. Aficionada al teatro, no dejaba de asistir a ningún estreno y en uno de ellos fue vista por el conde Ferdinand de Monguyon, que la retiró del posadero y la instaló en un mejor piso. Otro noble, el que fue después duque de Guiche-Grammont y ministro de Asuntos Exteriores con el emperador Napoleón III, le hizo mejores proposiciones y se fue con ella a los balnearios alemanes que entonces estaban de moda. Según dicen algunos biógrafos, María quedó embarazada; el niño nació en 1841 y según parece fue puesto en manos de unos padres adoptivos llamados Judelet. Este niño vivía todavía en 1869.

Los amantes de María se multiplicaron considerablemente; en un momento llegó a tener siete amantes fijos, a los que concedía una noche por semana. Al parecer quedaron muy satisfechos porque entre todos le regalaron una espléndida mesa de tocador con siete cajones.

Se estableció en el número 17 del bulevar de la Madeleine, en un apartamento por el que pagaba tres mil doscientos francos anuales de alquiler, francos oro naturalmente. El piso constaba de un amplio recibidor, de una antecámara, un salón, un *boudoir* y un dormitorio, amén de las habitaciones para el servicio. Estaba adornado con lujo y muy buen gusto, ya que María se dejaba aconsejar por sus aristocráticos amantes. Muebles de palisandro, espejos venecianos, adornos de plata, tapices, porcelanas de Dresde, todo sabiamente dispuesto y con un lujo patente pero no ostentoso. En el dormitorio de María el enorme lecho de palisandro ocupaba, como es lógico, el lugar de honor y el tocador estaba adornado con un reloj de bronce con pájaros de porcelana que había pertenecido a madame de Pompadour.

Uno de los amantes de María era un caballero de ochenta años, el conde de Stackelberg, casado y fabulosamente rico. Es la persona que en la novela figura como duque de Mauriac, que ve en Margarita Gautier el retrato de una hija suya muerta joven. Aunque por la edad del conde se ha de suponer que sus amores fueron solamente platónicos, Dumas dice que la historia de la hija muerta fue pura invención suya. «El conde, a pesar de su edad, no era un Edipo que buscara a una Antígona, sino un rey David que buscaba una Betsabé.» En esto Dumas se equivoca y confunde a Betsabé mujer de Urías con la sulamita que, según la Biblia, calentaba los huesos de David en su ancianidad.

María era muy hermosa; las descripciones que sus contemporáneos nos han dejado de ella nos la describen como alta, delgada, cabello negro, tez blanca, ojos brillantes, tal vez por la fiebre de la tisis que ya la consumía, labios rojos y maravillosos dientes. A pesar de su vida de prostituta, su rostro expresaba algo virginal, ingenuo y casi infantil.

Irving Wallace, en su libro *Ninfómanas y otras maníacas,* describe la impresión que María produjo en una actriz amiga suya:

«Un retrato completo de María en su primera juventud sobrevive en las palabras de una actriz, Judith Bernat, una de las principales intérpretes del Théatre des Variétés, que era admirada por María y que, a cambio, se convirtió en su amiga.

»Poseía un encanto incomparable —escribió Judith Bernat en sus memorias—. Era muy esbelta, casi delgada, pero maravillosamente delicada y graciosa; su rostro presentaba un óvalo angelical, sus ojos oscuros poseían una melancolía acariciadora, su tez deslumbrante y, por encima de todo, tenía un cabello precioso. ¡Oh! ¡Aquel fino y sedoso cabello oscuro!

»Cuando la actriz se preguntó por qué María Duplessis

se había "dedicado a la prostitución", María "se ocultó la cara" y después, repitiendo la pregunta, trató de darle respuesta: "¿Por qué me vendo? Porque el esfuerzo de una muchacha que trabaja jamás me hubiera proporcionado el lujo que tan irresistiblemente anhelo. A pesar de las apariencias, te juro que no soy codiciosa ni corrompida. Quería conocer los refinamientos y los placeres del gusto artístico, la alegría de vivir en una sociedad elegante y cultivada. Siempre he escogido mis amigos. Y he amado. ¡Oh!, sí, he amado sinceramente, pero nadie ha correspondido jamás a mi amor. Éste es el verdadero horror de mi vida. Es malo tener corazón cuando se es una cortesana. Se puede morir de eso."»

Esta mezcla de sentimentalismo y vicio, más corriente de lo que parece en las prostitutas, caracteriza toda la vida de María Duplessis. El hecho de llevar siempre camelias blancas como adorno, excepto en los días del mes en que las llevaba rojas, impele a creer que en su corazón se mezclaba el candor con el exhibicionismo propio de muchas prostitutas.

Alejandro Dumas la conoció en 1842; él tenía dieciocho años igual que ella. Como en el piso de María se reunían personajes importantes, no sólo del mundo de la aristocracia, sino también del ingenio y de la literatura, fácilmente entró el joven escritor, que en aquel momento no tenía otro título de honor que el de ser hijo del autor de *Los tres mosqueteros*, en el ambiente de las reuniones mundanas, pero no llegó a ser su amante hasta dos años después. En su novela *La dama de las camelias* relata Dumas el origen de su relación amorosa. Mientras estaba con ella y unos amigos María experimentó un acceso de tos y se retiró a su habitación. Dumas la siguió y vio cómo escupía sangre en un pañuelo. El joven se declaró a María pero ella rechazó la proposición diciendo que no le convenía tener una amante nerviosa, enferma, una mujer que escupía sangre y gastaba cien mil francos al año. Pero al fin cedió.

Las relaciones fueron turbulentas. Dumas se arruinaba por ella y estaba celoso de los amantes que tenía María y aun de los que había tenido. Como la tisis de María era cada vez más agobiante, la convenció para que saliese de París y viviese una temporada en el campo. Pero ello duró sólo una semana. María volvió a su vida de libertinaje en París y Dumas rompió con ella con una carta que con pocas variantes figura en la novela.

María no contestó. Cada vez más enferma, se entregó

con inconsciencia total a sus amantes, entre los que se encontraba el gran músico Franz Liszt, que confesó poco después de la muerte de María que fue la única mujer, o por lo menos la primera, de la que estuvo profundamente enamorado.

Uno de los más antiguos amantes de María era el vizconde de Perregaux; éste, profundamente enamorado, le propuso el matrimonio, para lo cual se llevó a María a Londres en donde se casó con ella el 21 de febrero de 1845 en la oficina del registro de Kensington, pero el matrimonio no fue reconocido en Francia y la pareja se separó poco después.

En enero de 1847 Perregaux se presentó por última vez en casa de María y se dio cuenta de que se acercaba el final; ella, convencida de lo mismo, le dijo:

—Gracias por haber venido a verme. Adiós. Me voy.

Llamaron a un sacerdote de la vecina iglesia de Madeleine y éste le administró los últimos sacramentos. María yacía en su cama contemplando una imagen de la Virgen que se encontraba en su tocador. Agarró de pronto la mano de su enfermera y quiso incorporarse pero no pudo. Dio tres gritos y murió. Eran las tres de la madrugada del 3 de febrero de 1847.

Los funerales se celebraron en la iglesia de la Madeleine. Su féretro estaba rodeado de camelias blancas. Perregaux se cuidó de su sepultura, primero provisional y luego definitiva, en el cementerio de Montmartre. En la lápida se lee:

Aquí yace / Alphonsine Plessis / nacida el 15 de enero de 1824 / muerta el 3 de febrero de 1847 / De profundis.

La tumba es una de las más visitadas del cementerio.

Meses después de la muerte de María, Alejandro Dumas empezaba a escribir la novela de *La dama de las camelias* que inmortalizó a María con el nombre de Margarita Gautier.

Cuando Alejandro Dumas murió fue enterrado en el mismo cementerio de Montmartre. Era el año 1895. Había pasado medio siglo, pero los asistentes al entierro del escritor arrancaron las camelias de las coronas fúnebres para llevarlas a la tumba de la que había sido la heroína de su más célebre novela.

Año 1889

De cómo una tragedia de hace un siglo mantiene su misterio hoy en día

LA TRAGEDIA DE MAYERLING

Los tres hijos del emperador Francisco José de Austria y de su esposa Elisabeth, llamada en familia Sisí, se habían casado.

Gisela lo había hecho con el príncipe Leopoldo de Baviera. Valeria era la esposa del archiduque Francisco Salvador de Toscana, y Rodolfo, el heredero del trono, había contraído matrimonio con la princesa Estefanía de Bélgica.

Los matrimonios habían sido obra del emperador, el cual, olvidando que había hecho un matrimonio de amor, había obligado a sus hijos a realizar matrimonios de conveniencia.

La princesa Estefanía de Bélgica era gorda, rubia y fea. Rodolfo no la podía soportar. El padre de Estefanía, el rey Leopoldo de Bélgica, era riquísimo y avaro y había regateado la dote de su hija de forma impensable. Se había portado más como un burgués de Balzac que como un rey.

Rodolfo, por su parte, era un hombre parecido en cierto modo a su madre. Las mismas ideas de libertad, su idealismo, su desprecio de las conveniencias y del protocolo, su amor a la soledad, todo ello hacía que fuese para su padre, el emperador, la oveja negra de la familia.

Había nacido el 21 de agosto de 1853 en el castillo de Laxemberg, al sur de Viena. Desde pequeño había dado muestras de su carácter independiente. Ausente su madre de Viena, durante mucho tiempo mantuvo con ella un constante intercambio epistolar. Las cartas que se conservan parecen más de dos amigos que de madre e hijo. Tenía Rodolfo mucho del espíritu de los Wittelsbach de Baviera, familia en la que aparecían de vez en cuando ramalazos de locura.

En política, Rodolfo era tan liberal como absolutista era su padre. El conde Andrassi, gran amigo de la emperatriz hasta tal punto que algunos malintencionados le consideraban su amante, cosa que no era verdad, decía a Elisabeth:

—Lo que hay de liberal en vuestro hijo triunfa sobre todo lo demás. Me temo que esto le costará más de un disgusto. Está muy comprometido con el partido liberal.

—Lo sé. Le he seguido con inquietud. Y el peligro está en que el emperador no comprende a Rodolfo.

El príncipe había estado en Inglaterra y había envidiado allí la libertad que el príncipe heredero Eduardo gozaba en la corte y fuera de ella.

Las actitudes rígidas características de la corte austríaca, los taconazos paramilitares, las reverencias e inclinaciones calculadas en grados de circunferencia según el grado de importancia de la persona ante la que se hacían, el hecho de que su padre no le llamase nunca por su nombre ni tuteándole, sino tratándole de vos y dándole el título de alteza, creaba en Rodolfo un conato de rebeldía que día a día se veía obligado a sofocar.

Por otra parte, Rodolfo tenía ideas propias sobre el Imperio, las alianzas posibles, el peligro ruso, el peligro prusiano y especialmente sobre Hungría. Las ideas independentistas en este último país habían conducido a Rodolfo a creer que la única solución para conservar el Imperio Austro-Húngaro era el de una federación cuyo punto de unión fuese la corona imperial. Ni que decir tiene que estas ideas chocaban frontalmente con las autocráticas de su padre, el emperador.

Rodolfo encontraba la vida insoportable. Su vida privada estaba mediatizada por la rígida etiqueta de la corte, y en esto se parecía a su madre, la emperatriz Sisí. Era incapaz de levantar el vuelo y escapar del ambiente opresivo que le rodeaba en Viena. Por ello su afición preferida era la caza en los montes salvajes buscando osos y otros animales en su vida natural. No le placía la caza a ojeo, que en cambio gustaba a su padre, quien esperaba cómodamente sentado que los animales pasasen delante de él.

Uno de los amigos de Rodolfo era Mauricio Szeps, un judío hábil e inteligente, director del *Neues Wiener Tageblatt*, el más liberal de los periódicos que la censura dejaba pasar. Szeps había propuesto a Rodolfo que se proclamase rey de Hungría, separando así las dos naciones, que estarían unidas luego al ser proclamado Rodolfo emperador de Austria. Pero esto significaba enfrentarse con su padre, cosa a la que no se atrevía el príncipe.

Esta fidelidad al imperio y a su padre no era pareja a su fidelidad matrimonial. Se le conocían múltiples aventuras y en el curso de una de ellas halló la muerte.

En 1888 conoce a María Vetsera, hija de unos nuevos ricos ennoblecidos de Viena. Como dice Rafael Ballester Escalas: «Es una belleza morena, "latina" o quizá "húngara" —como su apellido—, es, en fin, para un alemán, una belleza exótica. No se trata, propiamente hablando, de una mujer hermosa, sino de algo nuevo, algo no alemán, y que era "el tipo" de Rodolfo, o al menos podía clasificarse en este grupo, si bien al príncipe no le parecía en realidad nada extraordinario. Fue ella quien le buscó; no él. La Vetsera, de pequeña estatura y precoz en el amor, había tenido ya a los diecisiete años una aventura en Egipto con un oficial británico, "de la que salió convertida en mujer", dice Richter. Su primer amor inglés le había comunicado cierta tendencia a los anglicismos, a hacerse llamar *My dear* y cosas por el estilo. Tal vez hoy nos pareciese francamente cursi; pero no rompamos el encanto. Las fotografías ochocentistas, de viejo álbum de familia, tienen una pátina brumosa que nos separa de la imagen como el misterioso cristal de la vitrina del tiempo. Si intentamos ver la imagen sin la pátina, todo se borra, todo desaparece. Es así como debemos considerar la "belleza" de María Vetsera y la "pasión del archiduque".»

La emperatriz Elisabeth, madre de Rodolfo, se enteró de estos amores y no ponía ningún obstáculo, por el contrario dijo a su hijo:

—Rodolfo, si amas a esta mujer también la amaré yo. Te ruego que me la envíes. Quiero decírselo de viva voz.

María fue presentada a la emperatriz en el gabinete particular de ésta.

—Querida niña, me encuentro un poco indispuesta. Acércate, quiero hablarte. Te he hecho venir porque Rodolfo me ha dicho que eras muy hermosa y veo que ha dicho la verdad.

—Majestad, yo...

—Te comprendo, niña, Rodolfo me lo ha explicado todo.

Elisabeth acarició la mejilla de la Vetsera.

—¡Qué bonita eres! Y tan joven. Ya sabía yo que la amada de Rodolfo sería deliciosa.

María no sabía qué decir ni qué cara poner. Haciendo un esfuerzo consiguió decir:

—Majestad, sois más hermosa de lo que había creído... Os había visto a distancia y en el retrato vuestro que Rudi lleva siempre consigo.

Aquella misma noche María escribía a su hermana: «Tenía la impresión de hablar a una extraña y bella visión.»

El 30 de enero de 1889 el príncipe Rodolfo de Austria y la baronesa María Vetsera fueron encontrados muertos en el pabellón de caza de su alteza en Mayerling.

El cadáver de Rodolfo estaba medio sentado medio caído en la cama, a sus pies había un gran charco de sangre. María Vetsera, boca arriba, tenía el rostro desfigurado, a diferencia del príncipe que sólo presentaba estropeada la parte superior del cráneo.

La muerte había sido producida por dos disparos. Parece ser que Rodolfo descargó primero el arma contra la sien de su amada hallándose ésta tendida en la cama; hecho esto cubrió el cadáver con una manta y luego volvió junto a la cama, se sentó al borde de ésta y apuntándose en la sien derecha disparó el segundo tiro.

La noticia cayó como una bomba. En un principio se quiso disimular el suicidio anunciando que el príncipe Rodolfo había muerto en un accidente de caza. El cadáver de María Vetsera fue transportado en un coche de caballos como si se tratase de una persona simplemente desmayada; como detalle siniestro, se tuvo que atar a la muerta a un palo que la mantenía erguida para evitar que se desplomara y ello llamara la atención.

Cuando el emperador Francisco José se enteró de la muerte de su hijo tuvo un curioso comentario:

—Ha muerto como un sastre.

Todo el desprecio de la aristocrática familia de los Habsburgo, real e imperial desde tiempos remotos, se condensa en estas palabras referidas a un suicidio que al emperador le debería parecer burgués. Para él, si no era en la cama un príncipe debía morir en el campo de batalla.

La madre de María Vetsera envió a la emperatriz los

últimos mensajes de su hija, cartas a su hermano, a su madre y su hermana.

Adiós, querido hermano, continuaré velando sobre ti desde el otro mundo puesto que te amo tiernamente.
Tu hermana que te quiere.

Querida mamá, perdona lo que he hecho. No puedo resistir a mi amado. Deseo ser enterrada a su lado en el cementerio de Alland. Seré más dichosa en la muerte que en la vida.

Querida hermana, partimos alegremente para una vida más allá de la tumba. Piensa de vez en cuando en mí y no te cases si no es por amor. A mí no me ha sido posible hacerlo y como no puedo resistir a mi amado me voy con él.

MARÍA

P.S. *No te entristezcas, soy feliz. ¿Te acuerdas de la línea de la vida en mi mano? Adiós una vez más. El 13 de enero de cada año deposita una flor en mi tumba.*[1]

La emperatriz Elisabeth devolvió estas cartas acompañadas de una fotografía de Mayerling, en la que una de las ventanas había sido marcada con una cruz en tinta negra. El úlimo mensaje de Rodolfo a su madre había sido esta fotografía acompañada de unas pocas palabras: «Cuando recibas esto estaré muerto.»

El suicidio de Mayerling ha dado lugar a múltiples explicaciones. Por un lado la versión más romántica es la del suicidio por amor. Es sin duda la que ha dado lugar a múltiples novelas y películas. Pero el caso es que se dijo que Rodolfo había pasado la noche anterior en casa de una cortesana vienesa de lujo, llamada Mizzi Kaspar, a la que había ofrecido incluso que le acompañase a un centro de recreo llamado Pabellón de los Húsares para suicidarse con él.

Se dijo también que no había tal suicidio, sino que había sido un asesinato de tipo político organizado por los elementos más ultraconservadores de Austria, alarmados por las ideas cada vez más liberales del príncipe. En este caso ¿para qué y por qué asesinar a la Vetsera? ¿Cómo explicar entonces las cartas de María?

1. Un 13 de enero había sido el día en que María Vetsera se había entregado por primera vez a Rodolfo.

Más novelesca y fantástica es una tercera versión. Según ella Rodolfo había deshonrado a la hermana de un noble vienés amigo suyo. Éste le había provocado a un duelo a muerte, pero como era impensable que el príncipe heredero de Austria se batiese en duelo, se había acordado jugar una partida de cartas y quien perdiese debía suicidarse en el plazo de tres meses. Perdió Rodolfo. Como se ve, esta explicación parece algo fantástica.

El cadáver de la Vetsera fue enterrado sin ceremonia alguna, casi a escondidas.

El de Rodolfo fue trasladado a la capilla del Hofburg. Francisco José le acompañaba y su rostro era impenetrable. En cuanto a la emperatriz, dejo la palabra a Ballester Escalas:

«La emperatriz ocultó lo mejor que pudo su negra desesperación; pero estalló de un modo siniestro, novelesco, al anochecer de aquel día, cuando se presentó en el convento de los capuchinos con la pretensión de que "la dejasen a solas con su hijo" bajo las sombrías bóvedas del panteón imperial. Los frailes no pudieron menos de complacerla; pero apenas se habían retirado, dejando tras sí la reja que daba entrada a la fúnebre sala, oyeron gritar dos veces a la emperatriz el nombre de Rodolfo. Luego no se oyó ni un sollozo. Silencio, el silencio de la tumba, en cuyo seno tal vez la madre pudiese escuchar, ella sola, una respuesta misteriosa, inaudible, "las palabras sin sonido" a que alude Heine, esa sutil y secreta respuesta de los muertos. Momentos después la emperatriz salió y se retiró por el claustro, juvenil todavía, con su paso rápido y elástico de amazona.»

Un siglo después de la muerte de Rodolfo y María Vetsera, el misterio sigue intacto.

Año 1898

De cómo las edulcoradas y sacarinosas películas sobre Sisí esconden la enorme tragedia de una vida

SISÍ, EL DRAMA DE UNA EMPERATRIZ

La berlina de la duquesa Ludovica de Baviera corre por el camino de Munich a Ischl. En ella van, además de la duquesa, sus dos hijas: Elena y Elisabeth. El viaje debe terminar con el noviazgo de Elena y el emperador Francisco José de Austria.

La duquesa es *una* duquesa de Baviera, pero no *la* duquesa de Baviera, cosa que le apura mucho. Todas sus hermanas se han casado con príncipes reinantes. Una, Carolina, es emperatriz. Otra, Elisabeth, es reina de Prusia. Amelia y María han sido, una después de otra, reinas de Sajonia. Ludovica ha tenido peor suerte, es sólo la esposa de *un* duque bávaro que no reina.

Pero las cosas van a cambiar, Elena, su hija mayor, será emperatriz de Austria, así se ha decidido entre las dos familias.

Francisco José, el emperador, tiene veintitrés años, es simpático, rico y poderoso. Ha demostrado su valentía en los campos de batalla, pero el valor le abandona cuando tiene que enfrentarse con su madre la archiduquesa Sofía. Es ella la que ha combinado el matrimonio entre el emperador y Elena Possenhofen, que es el título de Maximiliano, su padre y marido de la duquesa Ludovica.

Elisabeth acompaña a su madre y a su hermana y disfruta con el viaje. Es linda, vivaz y traviesa. Familiarmente la llaman Sisí y por el momento se interesa por los paisajes de las poblaciones que atraviesan.

Sisí es la favorita de su padre. Un poco bohemio y con

tendencias más intelectuales que el resto de su familia, se ha dedicado a viajar, ha estudiado en la universidad de Munich y ha publicado un libro titulado *Viaje en Oriente*, en el que narra sus impresiones de sus visitas a Grecia, Turquía, Nubia y Egipto. Pocos lectores saben que colabora en el periódico de Munich firmando con el seudónimo de *Phantasius*.

Sisí gusta de leer, pero más todavía de correr, subir a las montañas, montar a caballo. Y odia la etiqueta; en esto se parece a su padre.

Al parar el coche en Rosenheim, Sisí se ha mezclado con los cocheros y ha empezado a charlar con ellos preguntándoles detalles sobre los caballos. Ha ido hacia las cuadras y ha admirado los caballos de repuesto. Se ha ensuciado las botas y los bajos de su falda de modo que su madre se ve obligada a amonestarla y ha de decirle que, si ello sucede otra vez, será enviada a Baviera sin que pueda contemplar el noviazgo de su hermana Elena con el emperador Francisco José.

El dieciséis de agosto de 1853 tiene lugar el encuentro del emperador con la mujer escogida por su madre para ser su esposa. En el fondo, Francisco José no tiene ganas de casarse. Ama demasiado su libertad de soltero, pero no se atreve a decirlo a su madre y se somete a su voluntad, a pesar de que no sentía el menor interés por Elena.

Se había acordado que se celebraría una cena al final de la cual el emperador pediría la mano de Elena a su madre. Durante la cena, Francisco José se obstinaba en mirar fijamente al fondo de la sala evitando poner sus ojos en la que pronto sería su prometida.

De pronto se oye la risa de Sisí. El emperador se fija por primera vez en aquella muchacha de dieciséis años vestida de blanco, sólo alterado por una ancha cinta azul en la cintura. Y fue el flechazo.

Adiós proyectos maternos, adiós planes combinados e intrigas palaciegas. Por primera vez Francisco José se enfrentará con su madre.

Empieza al final de la cena, cuando todo el mundo espera la petición de mano. El emperador se levanta y dirigiéndose a Sisí le pide que le acompañe a dar una vuelta por el jardín. Sorpresa general. Elena, humillada. Ludovica y Sofía, madre del emperador, consternadas, y los cortesanos atónitos.

Mientras tanto, Francisco José y Sisí pasean por el jardín. Ella le pide que le enseñe las cuadras y le confía que le gustan mucho los caballos, que sabe montar muy bien y que al día siguiente le gustaría hacer una excursión. No se da cuenta del revuelo que ha armado. No se da cuenta de que, mientras ellos están charlando, las madres respectivas están desoladas e intentan poner fin a la situación.

Pero todo es en vano, a su regreso del paseo Francisco José comunica a su madre su intención de casarse con Sisí. La emperatriz no puede contener las lágrimas.

—No, no, es imposible. Elena es una honesta muchacha que hará tu felicidad y será una buena madre de sus hijos. ¿Cómo puedes haberte fijado en Sisí? ¿No ves que es una niña de dieciséis años inconsciente y coqueta?

Ludovica, por su parte, solloza sentada en el sofá. En el fondo no sabe qué pensar. Los proyectos que había imaginado para su hija Elena se ven desvanecidos. Pero tal vez puedan trasladarse de Elena a Sisí.

La discusión entre madre e hijo duró toda la noche. De madrugada hizo llamar al cardenal que había de proceder a la bendición del noviazgo y le encargó que convenciese a Francisco José para que, recapacitando, no cometiese el disparate de prometerse con Sisí.

—En nombre del Señor y del Imperio, haced que mi hijo reflexione y obre sensatamente.

Todo fue en vano. A las nueve de la mañana el cardenal bendecía solemnemente el noviazgo del emperador con la duquesa Elisabeth.

Al día siguiente toda la familia fue a misa. En el momento de entrar en la iglesia la archiduquesa Sofía se inclinó, en una ceremoniosa reverencia de corte, cediendo el paso al emperador y a Sisí. Los asistentes se dieron cuenta que aquella jovencita de dieciséis años sería la futura emperatriz de Austria y Hungría.

Días después el periódico oficial del gobierno, el *Wiener Zeitung*, daba la noticia oficialmente.

Su majestad apostólica, imperial y real, el emperador Francisco José I, con el consentimiento de su majestad el rey Maximiliano de Baviera, se ha prometido en Ischl con la princesa Elisabeth, Amalia, Eugenia, duquesa en Baviera, hija de sus altezas el duque Maximiliano José y de la duquesa Ludovica, princesa de la casa real de Baviera. Que la bendición de Dios Todopoderoso...

Aparte de la desilusionada Elena, otra persona de la familia no se mostraba muy conforme con los acontecimientos. Era el padre de Sisí, el duque Maximiliano. Si por una parte le halagaba que su hija fuese emperatriz, por otro lado, y desde un punto de vista humano y personal, le dolía que su hija favorita se casase con un hombre al que consideraba como un militar de la escuela prusiana, y como un gobernante tiránico y nada comprensivo con las ideas modernas que se estaban imponiendo.

Ludovica, la madre, al final se mostró satisfecha; al fin y al cabo una de sus hijas era emperatriz.

Más tarde pudo la duquesa contemplar con cierta satisfacción los matrimonios de sus hijas, ya que no los de sus hijos. Luis, el hijo mayor, renunció a sus derechos para casarse con una actriz, Henriette Meidel, lo que llenó de consternación a la madre pero divirtió al padre y a Sisí; Carlos Teodoro, a quien en la familia llamaban el «tonto», se había casado con su prima la princesa Sofía de Sajonia; Max Emmanuel, el más joven de todos, conocido como el «idiota», murió soltero; Elena, la hija mayor destinada en principio al emperador de Austria, se casó con el príncipe Thurn und Taxis; María fue reina de Nápoles, luego destronada; Matilde fue condesa de Trani al casarse con el hermano del rey de Nápoles, y la más pequeña, Sofía, se casó con el segundo hijo del duque de Nemours de la casa de Orleans, convirtiéndose en duquesa de Alençon, y encontró más tarde una trágica muerte en el incendio del Bazar de la Caridad, en París.

Mientras tanto, en Munich, Sisí preparaba su ajuar matrimonial. Con gran paciencia su padre le daba lecciones sobre la manera en que debería comportarse en Viena.

—Has de saber que la etiqueta de la corte austríaca, como la de la corte española, es muy rígida. Tendrás que acostumbrarte a vigilar tus gestos, tus vestidos, incluso tus costumbres de beber y de comer pueden ser cambiadas. Aquí bebemos mucha cerveza, en Viena también, pero en la Corte se bebe más vino.

—Con lo que a mí me gusta la cerveza.

—Sí, pero tendrás que acostumbrarte. Hija mía serás esclava de la etiqueta.

Fue preciso organizar el viaje hasta Viena. Sisí se despidió de todo el mundo. No olvidó a nadie, ni siquiera al jardinero y a su esposa ni a los criados de la casa.

La comitiva llegó a Straubing, donde les esperaba un barco que, por el Danubio, les llevó a Linz. Por el camino, al pasar por los pueblos, sonaban las campanas de la iglesia y Linz les recibió con delirante entusiasmo. El emperador Francisco José se adelantó para recibir a su futura esposa.

Al día siguiente, en otro barco adornado con rosas del palacio de Schoenbrunn, se trasladaron a Nussdorf, un puerto de Viena; era la víspera de su matrimonio. Sisí se trasladó al palacio de Schoenbrunn, con sus mil cuatrocientas cuarenta y una habitaciones y ningún cuarto de baño. Sin perder tiempo, Sisí se bañó en una bañera portátil y se perfumó. Debía mostrarse al público que llenaba los jardines y las terrazas. Del brazo de Francisco José se asomó al balcón y millares de voces saludaron a la que el día siguiente sería su emperatriz y que en aquel momento era la heroína de una historia de amor.

El enlace matrimonial tuvo lugar al día siguiente con el aparatoso ceremonial de la corte austríaca.

Al otro día corrió el rumor de que la noche de bodas había sido un fracaso. Sisí había aparecido por la mañana con los ojos enrojecidos de haber llorado. Nunca se supo si de dolor o de desilusión.

Tal vez recordó entonces Sisí, que era muy supersticiosa, la predicción que afirmaba que los Wittelsbach nunca serían dichosos, y que un fraile misterioso se aparecería a los miembros de la familia cada vez que iba a suceder una desgracia.

Por su parte, Francisco José, pocos días después, declaraba a su amigo Alberto de Sajonia:

—Estoy enamorado como un teniente y dichoso como un dios.

El emperador no explicó por qué los tenientes pueden ser ejemplo de enamorados.

De todos modos su carácter había cambiado e, influido por su esposa, empezó a promulgar una serie de indultos y la suspensión del estado de guerra en Hungría, Galitzia y la Voivodina. Tres mujeres condenadas a muerte fueron también indultadas, actitud que era censurada por la madre del emperador y por toda la corte, compuesta exclusivamente por elementos conservadores y retrógrados.

En la primera cena importante dada a la corte en la Hofburg, o palacio real, ya demostró Sisí su carácter independiente ordenando a un criado:

—Que me traigan una cerveza.

—Con perdón de su majestad creo haber entendido mal.

—Cerveza... un vaso de cerveza.

El *maître* desapareció completamente aturdido. Sisí se dirigió a su vecino el príncipe Schwartzenberg:

—Tengo sed y no hay nada como la cerveza para calmar la sed.

El príncipe sonrió débilmente y, esperando indicar a su majestad la etiqueta a seguir, levantó discretamente su copa de vino como bebiendo a su salud. Sisí cogió su copa y la levantó en respuesta al gesto del príncipe, pero no tocó su contenido.

El servidor llegó con la cerveza, que ella bebió con entusiasmo, después de lo cual se quitó los guantes blancos que llevaba y los entregó al aturdido criado. Los asistentes quedaron mudos de estupor pues jamás habían visto que una gran dama cenase sin guantes.

Al terminar la cena, su suegra llamó la atención a Sisí.

—Habéis escandalizado a todo el mundo comportándoos como una lugareña bavaresa. Los guantes están prescritos por la etiqueta, la cerveza no es bebida para una emperatriz, por lo menos en público. No es correcto para una emperatriz reír, debe limitarse a sonreír, tanto si se divierte como si se aburre...

—Si no me quieren tal como soy lo siento mucho, pero no quiero cambiar. Rechazo absolutamente comer con las manos enguantadas, encuentro que es una tontería. Esta moda debió de ser impuesta por una reina que debía de tener una enfermedad de la piel. Pues bien, yo no la tengo. Será una etiqueta nueva, pero voy a imponer la moda de comer sin guantes.

No sólo eran cuestiones de etiqueta las que enfrentaban a las dos mujeres. Era también las distracciones y las lecturas. Sobre todo las lecturas. Sisí, acostumbrada por su padre a vivir en un ambiente intelectual de talante liberal, leía autores considerados en Viena como revolucionarios: Byron, Heine, Blake; leía novelas rusas a escondidas de la escandalizada Sofía, que las consideraba como obras del diablo.

Un buen día Sisí se encontró mal; unas náuseas hicieron comprender a la corte que la emperatriz estaba encinta.

Nueve meses después daba a luz una hija. El emperador Francisco José no pudo disimular su decepción. Esperaba un hijo que continuase la dinastía.

Cuando se repuso, continuó su vida contraria a toda etiqueta. Con gran estupor de la corte llegó a salir a pasear por las calles de Viena como cualquier ciudadana, cosa que no había hecho jamás una emperatriz de Austria. Cuando se lo reprocharon, dijo simplemente:

—El pueblo me ha visto y me ha aplaudido. Quizá sería conveniente que el emperador hiciese lo mismo.

Y Francisco José vaciló en hacerle caso. Ganó al fin la etiqueta. Tal vez de haber hecho caso a su esposa hubiese ganado en popularidad sin perder el respeto de su pueblo. La rígida etiqueta austríaca pudo más que su amor por su esposa, a pesar de que la adoraba y estaba cada vez más enamorado de ella.

Un día la emperatriz pidió a una de sus damas:

—¿Conocéis acaso la historia del fantasma de los Habsburgo?

—A su majestad no le gustará.

—¿Por qué?

—Es un secreto triste y lúgubre que corre desde hace siglos por la historia de los Habsburgo. A su majestad el emperador no le gustará que os lo cuente.

—Dejémonos de etiquetas. ¿De qué se trata?

—Parece ser que una débil aparición de un fantasma vestido con ropa blanca y transparente y al que se llama la Dama Blanca aparece a veces por los corredores del palacio anunciando cada vez una desgracia para la familia. Se le ha visto tres veces, y cada una de ellas en un momento crítico para la dinastía de los Habsburgo. Una vez en 1621, al comienzo del reinado de Fernando II; otra vez en 1740, después de la muerte de Carlos VI, y la última vez en 1809, cuando nuestro país estuvo amenazado por Napoleón. Cada vez que se ha aparecido ha sido para anunciar una desgracia.

Al día siguiente las damas de honor fueron despertadas por un grito de la emperatriz; acudieron presurosas a su habitación y la encontraron muerta de miedo asegurando que la Dama Blanca la había visitado. Era el anuncio de desgracias sin cuento. Supersticiosa como era, como todos los de su familia, desde entonces creyó que su vida estaría marcada por el dolor. Y lo terrible del caso es que no se equivocó.

Pronto se vio que la impetuosa Sisí no se plegaría jamás a las rígidas reglas de la corte. Lo que en un principio parecían inocentes chiquilladas que hacían gracia se transformó pronto en una tozuda decisión de llevar la contraria a todo lo que le rodeaba. No se da cuenta, ni se dio cuenta jamás, de que su posición de emperatriz le obligaba a cumplir con un protocolo y con unos deberes de los que no podía escapar. Caprichosa e inconsciente, no hace caso de la etiqueta, no escucha los consejos y escandaliza a los servidores de palacio llevando a él niños que encuentra en la calle y a los que invita a merendar. Se rodea de personas extrañas, médicos con raras ideas sobre su profesión, profesores de gimnasia, perros, gatos, loros y hasta compra vacas y caballos de circo.

Sisí es impetuosa, caprichosa, superficial y fantástica. Francisco José, por el contrario, es ordenado, meticuloso, puntual y tiene de su cargo el concepto de la dignidad real que ha heredado de sus antepasados.

Pronto se dan cuenta de que pasadas las ilusiones, aun amándose, él más a ella que ella a él, no podrán entenderse.

No obstante, la pareja sigue unida, aunque precariamente. Nacen más hijos, que Francisco José aleja de su madre para educarlos al estilo austríaco y que no sufran la influencia nefasta de Sisí.

Un día, en octubre de 1860, tiene lugar en palacio una terrible escena. Francisco José y Sisí discuten en voz alta, cosa que no había sucedido hasta entonces. El ruido de la pelea se oye por todo el palacio. Los cortesanos están consternados y el asombro es general cuando, estupefactos, se enteran de que la emperatriz ha mandado hacer las maletas para escapar de palacio y de Viena.

La escapada termina en la isla de Madera, donde Sisí vive una vida de libertad gozando de la naturaleza y del sol.

Se cansa de Madera y se traslada a Inglaterra. Tampoco allí se encuentra a gusto. Un día oye hablar de Grecia y sin vacilar decide trasladarse a aquel país.

Francisco José, siempre enamorado, encuentra a faltar a la mujer que llevó a palacio fantasía, alegría y juventud. Continuamente le envía mensajeros pidiéndole que vuelva a Viena y, al final, se decide a ir personalmente a Corfú para hacerla volver al palacio real y a la vida de corte.

Estalla la guerra entre Austria y Prusia y Sisí se comporta como una verdadera mujer sentimental. La emperatriz sale de palacio cada mañana vestida sencillamente y se dirige a los hospitales, donde hay heridos de guerra, cuidándoles como una enfermera. Visita a las viudas de guerra y a los huérfanos. Demuestra con ello sus buenos sentimientos, pero desgraciadamente no van acompañados de buenos razonamientos porque sufre a veces visiones siempre tristes. En ocasiones ella misma confiesa que huye de sí misma, y a una de sus amigas le confía:

—Sé que voy hacia un fin espantoso que me ha sido asignado por el destino.

Terminada la guerra, vuelve a escaparse de la corte para seguir su vida errante.

Pero antes, enterada de que el emperador miraba con buenos ojos a una actriz del Burg-Theater llamada Catherine Schratt, vá a verla, la encuentra viva, bonita y alegre y le propone que distraiga al emperador de su terrible trabajo y le ofrezca la dulzura, la gracia y el perfume de una presencia femenina.

—Señorita, el emperador está muy interesado en usted. Vive solo, muy solo, pues yo soy una esposa incómoda, siempre ausente. Su juventud, su alegría y su afecto serán preciosos para él. Si usted quiere, nosotras seremos dos buenas amigas y usted se ocupará del emperador.

Asombrada, Catherine aceptó y desde entonces cada día se podía ver el coche de su majestad el emperador que conducía a éste a la calle Gloriette número 9, donde vivía la señorita Schratt. Tomaba con ella un café con leche y le hablaba de Sisí, su gran amor, tan lejos, y de que le escribía adorables cartas.

Sisí, cada vez más desequilibrada, se rodea de mujeres extrañas. En Viena se murmura que son lesbianas y se comenta su gran amistad con Luis II de Baviera, homosexual notorio, que muere trágicamente suicidándose.

Su cuñado Maximiliano morirá trágicamente fusilado en Querétaro después de haber sido fugazmente emperador de México.

Su hijo Rodolfo, heredero de la corona, se suicida en Mayerling al lado de su amante María Vetsera.

Su hermana, la duquesa de Alençon, muere quemada viva en 1897 en el incendio del Bazar de la Caridad, en París.

Alrededor de la que había sido la alegre y juvenil Sisí no había más que tragedia, dolor y lágrimas, hasta el punto que un día dejó escapar:

—Las verdaderas lágrimas no se pueden llorar y las que se lloran se lloran en vano.

¿Se enamoró Sisí de otros hombres? De ello se la acusó repetidamente en Viena pero nada pudo probarse. Se decía también que quien hacía correr estos rumores era su suegra, la archiduquesa Sofía, que no la podía ver. Un día Sisí dijo a María Larisch, su sobrina, que había tenido una desilusión amorosa:

—Eres joven e inexperta. Deja que te dé un consejo: no existe ningún hombre en el mundo que merezca que un corazón de mujer se destroce por él. Un hombre, aun cuando se cree enamorado apasionadamente, encontrará siempre alguna otra mujer para consolarse. Una mujer, nunca.

Un día volvía de paseo junto con su viejo amigo Christomanos cuando llegados cerca de una cabaña oyeron unos gritos de mujer, casi inhumanos. La emperatriz ordena a su amigo que vaya a ver de qué se trata. Christomanos se acerca y ve un grupo de mujeres llorando y en medio de ellas una vieja mujer que se arranca los cabellos y lanza gritos casi animales. Detrás, un cadáver cubierto con una sábana. Christomanos vuelve hasta la emperatriz.

—Alguien ha muerto y una mujer se lamenta a gritos.

—¿Quién es el muerto?

—No sé, quizá una vieja.

—No, no, te equivocas, debe ser el hijo de aquella mujer que grita así. Ve a informarte. Pero, no, es inútil, yo sé que es su hijo.

Después, continuando el camino sólo abrió la boca para decir:

—Para aquella mujer todo ha terminado. En ella sólo cabe para siempre el dolor del hijo perdido.

Pensaba sin duda en la trágica muerte de su hijo Rodolfo.

Tenía un extraño don de prever el futuro. Varias veces manifestó que moriría a orillas de un lago, como así sucedió.

Francisco José continuaba enamorado de ella, quien en sus cartas a su marido se mostraba cariñosa como nunca. Era un extraño amor que necesitaba la ausencia para mostrarse. Cuando estaban juntos, la discusión era segura. Cuando estaban separados, se encontraban a faltar.

El 9 de setiembre de 1898 Elisabeth parte hacia Ginebra. Cena en casa de los Rothschild. Como viaja de incógnito, los anfitriones retiran la bandera de los Habsburgo que habían preparado en el jardín. La cena se desarrolla amenizada por la música de Wagner, que tanto gusta a la emperatriz.

Al día siguiente, día 10, Elisabeth se prepara para trasladarse de Ginebra a Caux, donde tiene fijada su residencia. Antes de embarcar, pasa por un almacén de música para comprar un orquestión. Pero el tiempo apremia y el barco para Caux está a punto de salir. Elisabeth señala los castaños en flor.

—Mi marido dice que en Viena también han florecido.

Se apresura puesto que ya ha sonado la sirena del barco.

De pronto un hombre que se disimulaba tras los árboles se lanza corriendo contra ella y le da un golpe en el pecho.

Sisí vacila.

—No empuje, por favor.

Y, vacilando, sube al barco, que empieza a separarse de la orilla.

De pronto la emperatriz cae al suelo sostenida apenas por los brazos de su compañera la condesa Sztaray que ve cómo una pequeña mancha de sangre aparece en el vestido.

Precipitadamente, el capitán Roux vuelve el barco hacia Ginebra. Una pasajera introduce en los labios de la emperatriz un terrón de azúcar mojado en agua de colonia. La emperatriz se esfuerza en sonreír.

—Gracias.

Sisí ha entrado en la agonía. De rodillas ante ella la condesa Sztaray reza. Al llegar a la orilla, seis hombres improvisan una camilla en la que depositan a la moribunda tapada con el manto negro que llevaba. En la orilla le esperan dos médicos que la trasladan al hotel. La esposa del propietario, una enfermera inglesa, les ayuda. Pero el doctor se incorpora.

—Desgraciadamente no hay esperanzas.

Se inclina sobre la moribunda e instantes después pronuncia las fatídicas palabras:

—Ha muerto.

El arma del asesinato es encontrada por un portero de la calle de los Alpes. Es una simple lima triangular con mango de madera, la parte metálica mide diez centímetros de longitud.

El asesino ha sido detenido. Se trata de un italiano, nacido en París, de veinticinco años de edad, anarquista y al que se supone loco, pero los médicos no encuentran nada anormal en él. Confiesa que ha llegado a Ginebra con la idea de matar a un aristócrata. Había pensado en el duque de Orleans, pero como no le había podido encontrar había decidido matar a la emperatriz.

—He actuado sin cómplices, yo solo soy responsable de mi acto.

Había reconocido a la emperatriz por haberla visto cuatro años antes en Viena. La había encontrado por casualidad yendo al barco y había decidido asesinarla. Se llamaba Luigi Luccheni.

El cuerpo de la emperatriz llegó a Viena en tren a las diez de la noche. Faltan tres meses para que Francisco José celebre los cincuenta años de reinado.

Con una rígida inmovilidad y extremadamente pálido el emperador asiste a la ceremonia.

Un testigo ocular explica:

«Cuando el sacerdote de la Hofburg empieza a recitar las oraciones, el emperador parece perder el dominio de sí mismo. Sus labios se mueven convulsivamente. La voz del sacerdote se hace más fuerte y más solemne. Cuando pronuncia el nombre de *Elisabeth* los ojos del emperador se llenan de lágrimas y no intenta disimular la emoción que le invade, encorva su talle, inclina la cabeza y con un gesto de ternura impotente apoya su mano derecha sobre el ataúd de Elisabeth.»

El príncipe Liechstenstein entrega al emperador las llaves del ataúd. Francisco José se arrodilla y abraza el ataúd como se abraza el cuerpo de la mujer amada. Sus labios murmuran apenas:

—Adiós, mi amor. Adiós, Sisí.

Año 1899

De cómo la política puede conducir al adulterio y de cómo los amores imperiales pueden conducir a la guerra

LA CONDESA DE CASTIGLIONE, LA AMANTE COQUETA

El conde Walewski, hijo de Napoleón y la condesa Walewska, era embajador en Londres cuando en una recepción en casa de la duquesa de Invernes vio al conde de Castiglione que observaba a las mujeres de un modo muy especial; curioso, Walewski le preguntó el porqué de aquellas miradas.

—¿Sabéis por qué estoy en Londres? —dijo el italiano—. Estoy buscando esposa.

—En ese caso —respondió el embajador francés—, no tenéis que quedaros en Londres. Volved a Italia, id a Florencia y haced que os presenten a la señorita Oldoini, es la mujer más bella del mundo.

El conde fue a Florencia y se enamoró de la muchacha; pero ésta no quería saber nada de él y se lo dijo:

—No os quiero y no os amaré nunca. No os caséis conmigo.

—Que no me améis no me importa —respondió Castiglione—. Me caso con vos, así tendré el orgullo de tener por esposa a la mujer más bella del mundo.

Y se casó con ella.

Virginia Oldoini —llamada Virginicchia por sus familiares y Nicchia por sus amistades— había nacido el 22 de marzo de 1837 en San Lorenzo de Florencia, y sus padres eran el marqués Felipe Oldoini y su esposa la marquesa Isabel Lamporecchi. Pertenecía, pues, a una gran familia, cosa que hacía patente siempre que podía. En los momentos más brillantes de su vida decía refiriéndose a las damas que la rodeaban envidiosas:

—A estas mujeres las igualo por la nobleza de mi nacimiento, las supero en belleza y las juzgo con más ingenio.

A poco de casarse hizo patente a su marido su desprecio por haber querido casarse con ella. Inútilmente el pobre esposo hacía todo lo posible para endulzarle la vida gastando hasta lo que no podía gastar. No consiguió siquiera que visitase a su familia. Se cuenta que un día, paseando en coche con Virginia, el conde de Castiglione creyó verla de mejor humor e indicó al cochero la dirección de la casa de su madre. Virginia no dijo nada, pero al pasar por un puente sobre el Arno se sacó los zapatos y los tiró al río diciendo:

—Espero que no querrás que vaya descalza por la calle.

Esta anécdota es falsa. Cuando se dice que sucedió, la condesa de Castiglione, madre del esposo de Virginia, había fallecido antes del casamiento de su hijo. Pero el hecho de que se creyese muestra hasta qué punto la antipatía de Virginia hacia la familia de su marido era conocida; y tenía sus razones, pues el marqués Oldoini no estuvo presente en la boda de Nicchia, lo que dio lugar al rumor de que lo hizo por creer que Virginia no era hija suya, sino de un amante de su mujer.

Nicchia tenía un gran temperamento, que no conocía límites. En 1951 el historiador francés Alain Decaux descubrió el diario íntimo de la condesa. En él anotaba sus proezas amatorias; con una B indicaba que la habían besado, con una X cuando se había dado completamente y con una BX cuando sólo había concedido eso que la gente llama porquerías y no llega a X.

No he visto este diario, pero según cuenta Guy Breton está lleno de B, de X y de BX día tras día. Al parecer era insaciable y no tenía bastante con su marido, con el que desde el primer momento no congeniaba. Por lo menos fue sincera al comunicárselo antes del matrimonio.

La pareja se instaló en Turín con todo lujo.

La alcoba de Nicchia, bastante grande, estaba decorada de rojo vivo, con bellísimos adornos en madera tallada y dorada que se entrelazaban en el techo y que aún hoy se conservan, con las correspondientes puertas y sobrepuertas pintadas, representando escenas populares setecentistas. Virginia conservó siempre el lecho nupcial, que hizo transportar a Spezia al cabo de muchos años, y después de la separación y muerte por accidente de su marido; tiempo después se lamentaba amargamente con sus acreedores, que amenazaban con vender aquel querido recuerdo. «Gentes de la curia, ujieres, etcétera, deben vender hoy mis muebles de familia, mi cuna y hasta mi lecho nupcial de oro y púrpura» (correspondencia de la condesa de Castiglione. Carta número CCXXII).

Adyacentes a la espléndida habitación de Nicchia había tres pequeños departamentos: el guardarropa con los numerosísimos vestidos de la condesa, el cuarto tocador y por último, el cuarto de baño, con la bañera excavada en el pavimento y un gran armario antiguo de dos lunas. En la parte opuesta había una antecámara, que separaba la habitación de la condesa de la de su marido; grandiosa también está, con un bellísimo techo artesonado y una preciosa chimenea de mármol negro de Bélgica, que el conde Antonielli conserva todavía.

Todo esto hizo que el conde se arruinase y, perseguido por los acreedores, buscase un empleo en la casa real de Víctor Manuel, entonces residente en Turín. Lo obtuvo gracias a su tío el general Cigala. Como el conde era inteligente —no cometió más locura que la de casarse con Nicchia—, pronto obtuvo la confianza y la amistad del rey.

Corrían entonces los tiempos del *Risorggimento* que anhelaba la unidad de Italia, que no se consiguió hasta 1870. Camilo Benso, conde de Cavour, era el máximo estadista que luchó por dicha unidad y la independencia de Italia. Era en aquel momento jefe del gabinete del rey. Al propio tiempo era pariente de la condesa de Castiglione. Hombre astuto, vio que la alianza que deseaba para luchar contra Austria sólo la podía dar Francia, y que para ello era preciso conquistar a su emperador Napoleón III. Virginia era la persona ideal para ello. Sin escrúpulos de ninguna clase le pidió que fuera a París y se hiciese amante del emperador francés.

Algunos autores, italianos especialmente, ven con duda un encargo de tal clase, pero incluso Mario Mazzucchelli debe escribir:

«¿Tuvo verdaderamente el conde de Cavour la ingeniosa idea de servirse de la bellísima condesa de Castiglione para aumentar las probabilidades de victoria de sus negociaciones secretas cerca de Napoleón III?

»¿Se sirvió verdaderamente de aquella deliciosa criatura para convencer a un monarca sensible y sensual de la utilidad y necesidad de intervenir en una gran causa?

»Y la condesa, ¿accedió a servir con todas sus fuerzas

a la política, mediante sus gentiles y excepcionales cualidades de mujer seductora?

»No podríamos contestar con relativa seguridad a ninguna de estas preguntas. Es, sin embargo, muy probable, que el conde de Cavour, conociendo a la Castiglione y apreciando su pronta y dominadora inteligencia, la hubiese considerado una excelente auxiliar para sus fines.

»Le encargó, y de esto tenemos pruebas, que se dirigiera a Francia, a la brillante corte de las Tullerías, que se hiciera amar por el emperador y que lo impulsara a decisivas resoluciones.

»Pero nosotros negamos que el conde de Cavour hubiese encargado a la condesa "una misión histórica" pues carecemos de los documentos necesarios para poderlo admitir. Es cierto, a pesar de todo, que la Castiglione fue uno de tantos hilos empleados por Cavour en los años que precedieron al "59" para servir a su habilísimo genio diplomático.»

En el transcurso del tiempo las relaciones de los dos esposos se habían enfriado bastante: la condesa trataba a su marido con gran indiferencia; dichos, calumnias y sospechas de todas clases acabaron por romper los lazos, ya insoportables, de un matrimonio mal avenido, llegando, algunos años más tarde, a una completa separación.

Parece también que, antes de partir hacia París, el conde Francisco Verasia de Castiglione, casi arruinado por los costosísimos caprichos de su mujer, gastó cuanto le quedaba, cerca de cincuenta mil libras —según explicaba el conde Pernati di Momo a su sobrino el conde Carlos Antonielli—, en un gran baile celebrado en su palacio de Turín en 1855, y al cual asistió el rey Víctor Manuel con toda su corte.

Maravillosa contradicción: pocos días después, partía hacia París con la deliciosa condesa dejando a sus acreedores todo cuanto poseía en Turín. Fue de este modo como el palacio habitado por los jóvenes esposos debía ser vendido más tarde al príncipe Poniatowski.

La bella Nicchia estaba convencida de que triunfaría en París como había triunfado en Turín. Con dos ventajas: una, que sus admiradores serían más numerosos, y otra, que el pez que había que pescar era algo más que un noble italiano: el propio emperador de los franceses.

Recién llegada a París, Henri de Péne escribía:

«Decididamente ya ha sido creada la reina de esta temporada, es la belleza incomparable que nos envió Italia: la condesa de Castiglione.»

Y haciendo un juego de palabras con la ópera de Rossini *La italiana en Argel* proseguía:

«La italiana en París, éste es el título de una sinfonía que la admiración pública canta de la mañana a la noche y de la noche a la mañana.»

Otras opiniones:

Henri d'Ideville: «La condesa es maravillosamente bella, sin duda, pero además tiene sobre otras mujeres una superioridad de carácter y de inteligencia que en nada cede a la superioridad que toda dama debe reconocerle en gracia, en elegancia y belleza.»

Eduard Hervé: «La condesa de Castiglione es una mujer cuya belleza hubiera sido divinizada en Grecia y que hubiera sido reservada para modelo de Fidias o Praxiteles.»

Madame Carette: «Posee un aire de altivez olímpica y se estaba poco dispuesto a perdonarle aquella maravillosa belleza de la que está tan orgullosa.»

También recibió críticas. El conde de Mangui, que debía ser bajito, dice que «era alta como un tambor mayor». Sir William Frager, que «en principio era poco elegante».

«No me parece muy ingeniosa», afirma la mariscala de Castellane, una mujer al fin y al cabo tal vez envidiosa.

De todos modos el éxito de Nicchia fue inmediato y contundente. Su primera aparición en la alta sociedad parisiense tuvo lugar en un baile en la residencia de la duquesa de Bassano en el que causó sensación. Tanta, que el marqués de Villamarina no dudó en hacerla admitir en una fiesta en el palacio de las Tullerías, residencia de la familia imperial.

El primer paso estaba dado, ahora era preciso «enamorar políticamente al emperador, coquetear con él, seducirle si era necesario». Éstas eran las consignas de Cavour.

Virginia tenía, según parece, alguna experiencia en amores reales. Guy Breton en sus *Histoires d'amour de l'Histoire de France* nos cuenta que el rey Víctor Manuel se había acostado con ella, según se desprende del diario descubierto por Alain Decaux. La última vez fue en el jardín de su casa, poco antes de partir hacia París. La nota escrita por la Castiglione no deja lugar a dudas: «A las once se ha ido. Le he acompañado hasta el jardín, en donde cinco X... Vuelta a mi tocador para arreglar mi *toilette*.»

Lo cual dice mucho de la potencia del rey italiano.

Napoleón III no le andaba en zaga. Amante incansable, podría hacer la competencia a Víctor Manuel.

El mismo Guy Breton cuenta una anécdota curiosa de cuando se encontraron los dos soberanos en París.

Una noche, en la Ópera, al ver que Víctor Manuel miraba con insistencia a una linda bailarina, el emperador le dijo:

—¿Os interesa esa pequeña?

—Mucho... ¿Cuánto puede costar?

Napoleón III sonrió.

—No lo sé, eso preguntadlo a Bacciochi que lo sabe todo de estas cosas.

Víctor Manuel se dirigió al gran chambelán, al que denominaba «el gran intendente de los placeres del emperador».

—¿Conoce usted a esta bailarina?

—¿La tercera empezando por la derecha? Es Eugenia Ficre, deliciosa y fácil.

—¿Cuánto puede costar?

—¡Oh, para Vuestra Majestad serán unos cincuenta luises!

—¡Caramba! ¡Es caro!

Y Napoleón, generoso:

—Bacciochi, que carguen eso a mi cuenta...

En este ambiente de amable libertinaje Virginia se encontró en su ambiente, y no obstante el primer encuentro no presagiaba nada bueno.

Tuvo lugar en casa de la princesa Matilde. Napoleón se encontró con los Castiglione y se detuvo admirando el escote de Virginia. Ésta se turbó, no por el hecho, al que ya estaba acostumbrada, sino porque era la primera vez que veía al hombre al que había de subyugar. Napoleón le dirigió algunas palabras a las que ella no supo contestar. El emperador se encogió de hombros y pasó adelante diciendo:

—No parece muy ingeniosa.

Lo cual llenó de gozo a las demás mujeres presentes, que estaban rabiando ante la belleza de Nicchia.

Pero algunos días más tarde, en un baile dado por el príncipe Jerónimo, la condesa, siempre acompañada de su marido, llegó en el momento en que Napoleón se retiraba y que dijo:

—Llegáis tarde, condesa.

—No, majestad, sois vos quien se va temprano.

La frase era audaz pero plugo al emperador, no acostumbrado a frases como ésta.

En París las fiestas se sucedían una tras otra sin solución de continuidad. Virginia era la estrella de todas ellas. Sus vestidos eran cada vez más audaces y cada vez más comentados. No llevaba corsé, y una noche el marqués de Gallifet admirando su pecho exclamó:

—Ahora conozco a dos rebeldes a cualquier freno.

El marqués de Gallifet era entonces coronel, luego general y fue quien abortó la revolución de la Comuna años después. Era hombre distinguido, escéptico e insolente. Un día, en el Jockey Club se comentaba la brutal represión que Gallifet había realizado contra los *communnards* y alguien dijo:

—Marqués, ¿no os arrepentís de haber hecho fusilar a diez mil soldados?

Gallifet no se inmutó y dirigiéndose a su ayudante le preguntó:

—¿Sabes a cuántos fusilamos?

—Cinco mil seiscientos, mi general.

—Ya me parecía a mí que exageraban.

Y continuó conversando tranquilamente.

En las memorias de Viel Castel se habla varias veces de los pechos de Virginia. Al parecer eran famosos. El mismo Gallifet le dijo en otra ocasión:

—Si tenéis tan amplios vuestros escotes, los pantalones de los hombres serán cada vez más estrechos.

A todo eso llegaban a Virginia apremiantes mensajes de Cavour, que tal vez temía que la condesa olvidara su cometido político entre fiestas y bailes.

La ocasión se presentó en un sarao dado en Villeneuve l'Etang. La aparición de la Castiglione causó más sensación que de costumbre. Llevaba un vestido casi transparente con pronunciadísimo escote que no ocultaba casi nada de sus encantos. Napoleón III, sin miramientos hacia los demás invitados, se le acercó y empezó a hablar con ella. Poco a poco fueron acercándose al lago que da su nombre a la población. En su orilla había varias barcas.

—Ésta es la mía —dijo el emperador—. ¿Queréis subir?

Remó hacia una islita del centro del lago.

—¿Es verdad, condesa, que dormís entre sábanas negras para que resalte más la blancura de vuestro cuerpo?

—Sí, majestad.

—¿Las lleváis en el bolso?

Y remó hacia la isla.

Cuando regresaron, todo el mundo notó que iban despeinados y con los vestidos arrugados.

Ésta es la versión que dan la mayoría de historiadores.

Pero tengo mis dudas sobre su veracidad, aunque reconozco que es romántica dentro de lo que cabe.

Mi incredulidad se basa en la indumentaria femenina de la época. Las damas de aquel entonces necesitaban dos camareras para vestirse o desvestirse. Imaginen mis lectores lo que era una crinolina, falda interior con ballenas y aros de acero flexibles. Aunque Virginia no llevaba corsé, otro inconveniente para las efusiones campestres, su *toilette* de gala debía ser muy complicada. Por ello creo más verosímil la versión del historiador italiano Mazzucchelli.

Una noche del verano de 1857, en Compiègne, y durante un espectáculo en el teatro de la Corte, la condesa de Castiglione, pretextando una indisposición, no asistió a ella. Alguien que conocía el sentimiento naciente del emperador, le vio toda la noche distraído y preocupadísimo.

Después del primer acto desapareció, dejando a la emperatriz sola. Al día siguiente todos supieron el porqué de esta desaparición: Napoleón había ido directamente a pedir noticias de la salud de la bella florentina.

Las murmuraciones y los comentarios arreciaron.

He aquí cómo Nicchia, según las curiosas memorias de la marquesa de Tisey-Chatenoy, contó, con un cinismo poco verosímil, su primera aventura de amor con el emperador:

«En el día fijado para la inauguración de un rico carrusel de caballos de madera en Compiègne, la sociedad más elegante de París se había dado cita en el magnífico castillo y precisamente en el picadero. Después de dos vueltas de prueba, el marqués de Massa empezó a tocar el organillo. Yo monté en un caballo, el "tiovivo" se puso en marcha y me sentí gozosa con aquel viento que me azotaba la cara y que me despeinaba. Bajé pocos minutos después y me dirigí, aturdida, hacia una silla que veía indistintamente, cuando sentí que me cogían por un brazo... Me hizo sentar, se sentó él también, mirándome con interés, mientras yo trataba de poner un poco de orden en mi descompuesto peinado. Después de unos minutos, se inclinó hacia mí y me dijo:

»—Andad un poco, eso os hará bien.

»Me levanté y le seguí, mientras él, siempre cerca, se ponía a mi lado...

»De repente, y sin que pudiese evitarlo, me cogió por la cintura y sus labios se posaron en mis cabellos...

»—¡Oh! Sire... Sire —dije asustada.

»Adivinó sin duda que las piernas no me sostenían,

pues me estrechó dulcemente contra su pecho. Y le oí murmurar, en voz bajísima:

»—¡Hasta la noche!

»Volviendo atrás en el camino poco antes recorrido, me ofreció galantemente la mano y me hizo montar en el famoso caballo alazán con silla de terciopelo verde, en cuyos ángulos destacaban N doradas, rematadas por la corona imperial.

»Una vez sola en mi departamento, no pude refrenar mi gran felicidad: la cabeza me ardía y me latía el corazón con fuerza.

»La puerta de mi estancia se abrió bruscamente, mi marido entró de súbito y yo temblé, creyéndome ya culpable. Me dijo que partía inmediatamente hacia París con un encargo importante del emperador.

»Apenas salió él entró mi camarera. Había sido advertida de que yo, durante la ausencia de Castiglione, ocuparía una cámara más rica, más elegante, ¡la famosa cámara azul!

»Y en la cámara azul, aquella noche, se cumplió mi destino.»

Desde entonces todo fue coser y cantar: las malas lenguas decían que el emperador iba todas las noches a visitar a Virginia. Todos la llamaban Nicchia, pero el emperador la llamaba Nina.

Se decía que:

—No hay más que un emperador y la Castiglione es su profeta.

Y los hombres suspiraban queriendo estar en el lugar de Napoleón III.

El dominio de su amante fue tal que un día dejó escapar:

—Mi madre estaba loca cuando me hizo casar con Castiglione. Si me hubiera traído a Francia hace algunos años, hoy en París no reinaría una española, sino una italiana.

La emperatriz Eugenia se enteró ¿cómo no? de las andanzas de su marido y, cada vez que podía, procuraba zaherir a su rival. Un día, en un baile de máscaras en las Tullerías, la condesa de Castiglione apareció disfrazada de gitana con la falda bordada de rojos corazones. Incluso, dice el historiador Lollié, en los lugares en que el corazón no entra. El efecto fue enorme dada la belleza de la condesa, pero la emperatriz, nada dispuesta a celebrarla, lo hizo con una frase de doble sentido:

—Me parece, condesa, que habéis puesto el corazón demasiado bajo.

Lo cual hizo sonreír a todos los presentes, sobre todo a ellas.

A todo eso Virginia no olvidaba el cometido que le había encargado Cavour. Como en un filme de espionaje y mujeres fatales, ella iba tejiendo la red alrededor del emperador, convenciéndole cada día más de la necesidad de aliarse con Víctor Manuel en contra de Austria.

Pero, además de la política, estaba la pasión con los amores adúlteros y clandestinos.

Según un policía corso, un tal Griscelli, una noche Napoleón había ido a la consabida cita amorosa en casa de la Castiglione. El citado policía se escondió en un oscuro rincón del corredor, y apenas el emperador entró en una sala con el general de Fleury y con la condesa, la criada de la Castiglione salió de una puertecita lateral y, haciendo un misterioso signo y aplaudiendo con un determinado ritmo, hizo entrar a un individuo de dudoso aspecto. Sin vacilar, Griscelli se lanzó contra el hombre y lo mató. A los gritos de espanto de la camarera salió Fleury, quien mandó llamar un coche en el que se colocó el cadáver con destino desconocido. Más tarde el emperador llamó al policía y le riñó por haber matado a un hombre tal vez inocente, pero Griscelli mostró al emperador un puñal envenenado que había encontrado sobre el cadáver. Según el imaginativo policía se trataba de una conjura y quizá la bella condesa estaba de acuerdo con los carbonarios italianos para asesinar a Napoleón III.

Se dijo después que el muerto era el amante de la camarera y que la conjura sólo existió en la mente de Griscelli. Por otra parte, sabiendo que los carbonarios eran partidarios de la independencia y unidad de Italia, lo lógico es pensar que ayudaban a la Castiglione en su tarea de atraer a Napoleón III hacia sus designios que no atentar contra su vida.

El emperador, ya de edad madura, pero enamoradísimo y galante por naturaleza, y su gentil amiga, que apenas contaba veinte años, además de bellísima, convencida y orgullosa de su misión y por ello audaz, debieron de amarse apasionadamente... Después la política debió de hacer su aparición en aquellos coloquios y los instantes de recogida intimidad en que los amantes olvidaban toda diferencia de posición y de casta, debieron de ser muy favorables a las confidencias más preciosas, que Nina, como en la intimidad llamaba el emperador a la Castiglione, sabía suscitar.

Ahora debemos tratar de una cuestión muy delicada:

el emperador, además de amarla con pasión, ¿daba dinero a la bellísima italiana? Asunto muy espinoso: según varios contemporáneos, quizá malignos, quizá envidiosos, el emperador daba cincuenta mil francos al mes a la Castiglione, sin contar regalos magníficos en vestidos y joyas. La duquesa de Dino, en una carta del 28 de marzo de 1857, decía: «El emperador Napoleón ha regalado últimamente a madame de Castiglione una esmeralda de cien mil francos, la más bella que existe. Se dice que jamás una mujer ha sido tan interesada como ella.» ¿Verdad? ¿Habladurías?

Sabemos, además, que la condesa poseía un maravilloso collar de perlas, que después de su muerte fue vendido en cuatrocientos veintidós mil francos.

El ministro Menabrea, que se encontraba en París en 1867 relata:

«En una comida de la corte, la condesa de Castiglione apareció luciendo un sencillísimo vestido blanco que moldeaba su cuerpo perfecto, dejándolo al descubierto en gran parte; no llevaba ni siquiera una joya. Sólo alrededor del cuello y en las muñecas llevaba un cordoncito de oro parecido al de las libreas de sus sirvientes. Maravillado, el emperador le preguntó la razón de aquel extraño adorno, y ella respondió con una sonrisa:

—»Majestad, mi actual posición me ha obligado a deshacerme de mis joyas; tengo que contentarme con el galón que adorna la librea de mis lacayos...

»Inútil es decir que al día siguiente los estuches de la Castiglione volvían a estar llenos.»

En cuanto al conde Francesco Verasis de Castiglione, ¿dónde vivía en aquella época? Según Viel-Castel, parece ser que en París alguna vez acompañaba a su esposa, pero en general vivía en la más completa independencia.

Sin embargo, es improbable que, según dice Audebrand, el conde Verasis de Castiglione exclamase alguna vez: «Vean, pues, el tren de vida que mi mujer logra llevar con diez mil francos al mes.»

Viel-Castel, después de una investigación particular, que citamos por simple curiosidad, afirma que la pareja, en 1856, no poseía más que dieciocho mil francos de renta y gastaba de sesenta a ochenta mil francos al año: Filiberto Audebrand, a su vez, elevó más tarde esta cifra hasta trescientos mil francos.

En fin, Viel-Castel, con el desdén que usa siempre al hablar de la condesa de Castiglione, escribe en sus memorias que el marido de Nicchia repetía continuamente a todos sus amigos: «Soy un modelo de maridos, no oigo nada y no veo nunca nada.»

Estúpidas e increíbles calumnias.

¿Intervino realmente la condesa de Castiglione en el desarrollo de la política francesa? Algunos autores han querido minimizar su importancia, pero no hay que olvidar las recomendaciones de Cavour en el sentido de que de una manera u otra, con las artes que fuesen, con la seducción incluso, se había de atraer al emperador a los intereses de la causa italiana. A fines de su vida la Castiglione quiso presentar su vida de manera casi recatada, incluso llegó a negar sus relaciones con Napoleón, pero en la subasta de sus joyas figuraba un anillo con una inscripción al parecer enigmática: VNIARPGO ILNEIOEN; pero si se reúnen las letras impares y luego las pares resulta: VIRGINIE NAPOLEON, harto significativas.

Napoleón III y Cavour, amantes los dos de la conspiración y de los conciliábulos secretos, estaban hechos para entenderse; el primero permitió que la cuestión italiana fuese llevada al Congreso de París y la consideró y apoyó benévolamente; el segundo tuvo la certeza de haber conquistado al emperador cuando al partir de París los plenipotenciarios del Congreso, el soberano, sin ser siquiera interrogado, le dijo:

—Estad tranquilo; tengo el firme convencimiento de que la paz no durará mucho.

Y en este juego político la Castiglione ponía en el asador toda su belleza y su poder de seducción.

Hablando de sí misma con el francés Henry d'Ideville dejó escapar estas frases, que pintan perfectamente la idea que tenía de su belleza:

—El Padre Eterno no sabía lo que hacía cuando me creó; trabajó mucho y cuando me hubo hecho perdió la cabeza viendo su maravillosa obra, que dejó a un lado para mirarla después. Le llamaron de otra parte y cuando volvió yo ya había nacido.

Tenía ciertas excentricidades; por ejemplo, una vez decoró su salón con tapices negros de los que se usaban para los funerales y recibió a sus amistades vestida de blanco para hacer resaltar más su sugerente belleza.

Una noche de Navidad quiso subir al techo del Louvre para oír las campanadas de la medianoche y se hizo acompañar nada menos que por el superintendente de Bellas Artes de su majestad el emperador. ¡Cualquiera se negaba a hacerlo!

Hizo fotografiar —eran los inicios de este arte— sus

pies, sus manos, sus pantorrillas e incluso se hizo retratar por el célebre pintor Baudry, desnuda, como la maja de Goya. El pintor se superó a sí mismo e hizo un retrato de una belleza que había entusiasmado a la Castiglione, que no se cansaba de admirarlo. Pero al poco entró en duda por si el retrato superase en belleza al original y poco a poco se fue mostrando celosa del cuadro como si fuese una rival. Inquietudes y sospechas no la dejaban en paz hasta que un día, en un acceso de celos, rasgó la tela con un cuchillo y tiró al fuego los pedazos. Así fue destruida una obra maestra.

Gustaba de presentarse impecablemente vestida, aunque fuera a sus íntimos, y en todo el esplendor de sus *toilettes*. Una vez, encontrándose en El Havre, cayó enferma. Hizo llamar a París al doctor Arnal, médico de la corte, el cual, aunque cargado de trabajo y de clientes, no pudo menos que trasladarse a visitar a su ilustre enferma. Llegó a El Havre a las nueve de la mañana y cuál fue su sorpresa al oír decir que la condesa no le podía recibir porque se estaba arreglando. Esperó y esperó hasta que a las dos de la tarde fue admitido en la habitación de la paciente, a la que encontró con altísima fiebre entre flores esparcidas por la cámara, adornada con profusión de joyas y en la cama cubierta con pieles y bordados. Y que conste que la edad ya provecta del médico excluía cualquier intento de seducción. Simplemente, en plena enfermedad, quería mostrarse en toda su belleza y esplendor.

Pero a todo eso, la Castiglione no olvidaba su papel político. En Francia había dos tendencias en lo que se refiere a la cuestión italiana. La emperatriz Eugenia era decidida partidaria de proteger los Estados Pontificios de los ataques de los carbonarios, de Cavour, Mazzini y demás prohombres que luchaban por la unidad de Italia. Se dice que Napoleón III había sido o era carbonario y la condesa estaba a las órdenes de Cavour. En 1855, un tal Pianori había intentado asesinar a Napoleón, y en 1857 otro italiano —Tibaldi— había ensayado lo mismo. Al ser italianos los terroristas se atribuyó a la Castiglione su intervención en los atentados, sin darse cuenta que el efecto era precisamente contrario a sus propósitos. Así se comprende el golpe que para la condesa representó el atentado de Orsini.

El 14 de enero de 1858, a las ocho de la noche, los soberanos se dirigían a la Ópera: en el Bulevar de los Italianos un gentío enorme esperaba el cortejo imperial que, con media hora de retraso, desembocó por la rue Pelletier.

La primera carroza, ocupada por los oficiales de la casa del emperador y seguida por los lanceros de la Guardia, que precedían a la carroza imperial, acababa de pasar el peristilo del teatro cuando tres explosiones terribles y sucesivas se produjeron delante y bajo la carroza imperial, que inmediatamente quedó convertida en un montón de astillas. La oscuridad que se produjo, ya que el desplazamiento del aire apagó los faroles de gas, aumentó la confusión. En su pánico, el gentío fue atropellado por los caballos de la escolta que, locos de terror y libres de los lanceros, huían por todos lados. Los proyectiles de las bombas hirieron y mataron a sesenta y siete personas. El emperador y la emperatriz salieron de aquel desastre milagrosamente ilesos, y ambos dieron prueba de una sangre fría extraordinaria cuando, impasibles y serenos, en un tumulto de gritos, de imprecaciones y de aplausos, subieron la gran escalinata de la Ópera y aparecieron en el palco imperial saludados por un huracán de aclamaciones.

Mas el atentado corría el riesgo de tener consecuencias incalculables para la cuestión italiana.

Angustiado, Cavour supo que en París sus adversarios, casi todos partidarios de la emperatriz, consideraban el atentado como consecuencia de la agitación protegida por el gobierno piamontés en el norte de Italia, agitación aún más encendida por el último manifiesto de Mazzini. También los amigos de Cavour, bastante numerosos en los círculos imperiales, se enfriaron de repente: consideraron al Piamonte, en la excitación del momento, como responsable indirecto del delito. Por otra parte, ¿no había dicho el propio Napoleón III que la policía piamontesa no se preocupada bastante de las continuas algaradas mazzinianas?

La nunciatura de París y la embajada de Austria estaban radiantes; el barón de Hubner, titular de dicha embajada, intentaba ya, aprovechando ocasión tan extraordinariamente favorable, llegar a un acercamiento entre Napoleón III y Francisco José, y monseñor Sacconi, nuncio apostólico, escribía: «He aquí el fruto de la agitación política sostenida por Cavour.»

Virginia se encontraba en aquellos momentos en Londres y vio cómo se derrumbaban todas sus ilusiones y todo el trabajo que se había tomado.

Quien salvó la situación fue el rey Víctor Manuel, que sin perder un instante envió a Napoleón III una carta autógrafa suya en la que, entre otras cosas, decía que «no es así como se trata a un aliado», con referencia al comunicado que había dado la casa imperial al referirse a Italia como «refugio de asesinos». El rey añadía que la casa de Saboya, con la cabeza muy alta desde siglos atrás, estimaba que nadie se la hacía bajar. Napoleón III comprendió la lealtad del mensaje y exclamó dirigiéndose a los enviados de Víctor Manuel:

—¡Vuestro rey es un valiente! Me gusta su respuesta. Estoy seguro de que nos entenderemos. Amo a Italia y no seré nunca aliado de Austria en contra suya.

Mientras se preparaba el proceso de Orsini, que interesaba tanto en Turín como en París, llegaban a la condesa de Castiglione noticias más tranquilizadoras de parte de Cavour: a pesar de todo temía, y con razón, que durante la instrucción del proceso salieran a relucir hechos capaces de ahuyentar de nuevo las simpatías de Napoleón III por la cuestión italiana.

Superior a sus cómplices en educación e inteligencia, Orsini adoptó en los interrogatorios un aire desdeñoso: estaba tan convencido de la importancia de su misión política, que hizo llegar al propio emperador una carta publicada en la *Gaceta Piamontesa,* periódico oficial del gobierno sardo.

Este escrito fue leído en el tribunal, durante el proceso, por Jules Favre, defensor de Orsini.

—Desde el fondo de su prisión —dijo, después de aquella lectura, Jules Favre— Orsini se dirige hacia aquel contra quien no tiene ningún sentimiento de odio, hacia aquel que puede ser el salvador de su patria.

En una afirmación vibrante de patriotismo, Orsini conjuró al emperador «que podía, si hubiese querido», sustraer a Italia del yugo de Austria. «Que vuestra majestad no rechace la voz suprema de un patriota al pie del patíbulo; libere a Italia y las bendiciones de veinticinco millones de italianos le seguirán en la posteridad.»

¿Fue informado Orsini por el prefecto de policía de que las simpatías del emperador respondían a las de los patriotas italianos? Es cierto, de todos modos, que el patriota italiano, condenando su propio atentado en una segunda carta al soberano, rechazaba el asesinato como medio de acción política, y recomendaba a sus compatriotas que no recayeran en tan atroz error.

Así lo dice el ya citado Mario Mazzucchelli.

Un año después, Francia entraba en guerra con Austria al lado de Italia. El 2 de mayo de 1859 el emperador partió para Italia. Batallas de Montebello, Palestro, Magenta, Solferino. Victorias una tras otra de las armas francesas. Y, de pronto, paz de Vilafranca cuando nadie lo esperaba. ¿Qué había sucedido?

Se dijo entonces que Napoleón III se vio afectado por el espectáculo de la batalla de Solferino en la que miles de heridos gritaban de dolor y se vieron desamparados. Puede ser cierto, como lo es que un suizo, Henri Dunant, al contemplar el desastre imaginó crear un organismo para socorrer a los heridos en la guerra. Emprendió una cruzada para ello visitando a reyes y poderosos, así como entidades benéficas. En 1863 se reúnen varios representantes de dichas entidades en Ginebra y, al año siguiente, se adoptó una convención sobre los heridos de guerra creando así la Cruz Roja. Dunant adoptó esta bandera invirtiendo los colores de la de Suiza, que es una cruz blanca sobre fondo rojo.

Dunant no tuvo suerte y murió en la miseria. Tuvo, no obstante, el consuelo de ver premiada su labor con el premio Nobel de la Paz en 1901, noticia que recibió en el asilo en el que se hallaba albergado.

Otra versión, más verosímil a mi entender, es que Napoleón III se enteró de que Prusia estaba decidida a declarar la guerra a Francia aliándose con Austria, y ello le hizo temer lo peor. Y así fue como firmó la paz.

Inmediatamente después de recibidas estas dolorosas noticias, que para la condesa de Castiglione representaron el fin de sus más bellas esperanzas, llegaron a Turín otras bastante graves. Así se enteró de la desesperación de Cavour que, en un momento de angustia y desorientación, pensó en la prosecución de la guerra contra Austria por parte únicamente del Piamonte; supo también la cortante negativa del rey que, en aquellos días de dolor y desengaño, mostró de manera maravillosa poseer una calma única y un sentido político infalible. Supo, después, que el rey Víctor Manuel había tenido la fuerza de voluntad de recibir en Milán al emperador con absoluta cortesía y que, con mucho tacto, había, además, ordenado el inmediato término de las demostraciones amenazadoras de Turín contra Napoleón y contra Francia; los retratos de Orsini, transportados y aclamados por la multitud inmensa y colocados en lugar de honor de muchos escaparates, se hicieron retirar a toda prisa.

Después de brevísima estancia en Turín, Napoleón partió directamente para Saint-Cloud, acompañándole Víctor Manuel hasta Susa. Cuando el futuro rey de Italia vio, después de las despedidas, que el emperador y su escolta se alejaban en la berlina de viaje hacia tierras de Francia, exclamó: «¡Por fin se ha marchado!»

La Castiglione se retiró a Turín, donde se dedicó a la educación de su hijo Giorgio, al que había tenido un año después de su matrimonio. Todo parecía ya terminado. Pero no se daba por vencida. Pensaba siempre en París, en aquel París en el que había triunfado.

Sabía que Napoleón tenía otras amantes y que la emperatriz Eugenia, su callada enemiga, peleaba con su marido cada vez que se enteraba de un nuevo amorío.

Volver a París, éste era su sueño, ésta era su meta. ¿Volvería a conquistar al emperador?

A uno de sus pocos amigos, el diplomático D'Ideville, le confió:.

—Apenas he atravesado la vida y mi papel ha terminado.

A pesar de ello volvió a París.

Volvió a las reuniones mundanas, volvió a las fiestas de las Tullerías, pero ya no era la emperatriz sin imperio, era sólo la Castiglione, mas su orgullo y su coquetería se sobrepusieron a todo.

Una noche la condesa atravesaba un salón del brazo del poeta Alfred de Musset. Éste, adivino, comentó:

—Todo esto es maravilloso, maravilloso por ahora, pero no daría dos ochavos por el desenlace de esta comedia.

A la Castiglione todavía se la admiraba, pero se la criticaba más abiertamente. La princesa Paulina de Metternich decía:

—Si la Castiglione hubiese sido más sencilla y más espontánea, menos soberbia, hubiese transtornado el mundo, hubiese subyugado al universo entero. ¡Qué increíble belleza! Se hubiera dicho que era una estatua animada.

Y, efectivamente, era como una estatua maravillosamente hermosa pero fría. Napoleón se quejaba de ello y dejaba entrever que en sus relaciones sólo él había puesto pasión y ardor.

Cierto día le preguntó:

—¿Por qué desdeñas a todo el mundo?

—Señor, si vuestra majestad no hubiera dejado de oír a todo el mundo desde la infancia más que «¡qué bella es!, ¡qué gracia!», estaría tan fastidiada como yo.

No gustaba del baile.

—¿Bailar para ponerme encarnada, sudorosa y fea como estas mujeres que estamos viendo? ¡Jamás!

El conde de Maugny explica así el carácter de la Castiglione:

«Muy envanecida de su superioridad, desdeñosa y altiva, se imaginaba ser, de buena fe, de otra pasta que los simples mortales, y cuando se trataba de hacer valer sus ventajas físicas y ostentar ante la galería las maravillas que de tiempo en tiempo permitía contemplar, no retrocedía ante nada.

»Gustaba de permanecer horas enteras ante el espejo, contemplándose; y no era raro que sus visitantes la encontrasen muchas veces ocupada en admirar con infinita atención sus innumerables retratos.

»Muchos de estos retratos eran pruebas fotográficas realizadas por Mayer y Pierson y maravillosamente iluminadas por un pintor de talento, el polaco Schandy. Cada una de aquellas poses exigía un escenario distinto, y de esta forma conservamos reliquias de lejanas seducciones: la marquesa Matilde, la *Frayeur, le Sommeil, le Feu, le Peignoir rose, l'Eau, le Noeud de dentelle, le Reveil, le Regard*... Un retrato en camisa diáfana la representaba como a una rosa cubierta por un velo. Hizo retratar también sus piececitos desnudos, cruzados sobre un almohadón de terciopelo negro; obra maestra de perfección.

»Pintores, fotógrafos, miniaturistas, eran continuamente aconsejados por la adorable criatura: «Profundizad los ojos, avivad la mirada.»

De improviso la condesa de Castiglione enviudó. El caso fue en 1867. Se celebraba el matrimonio del príncipe Amadeo de Aosta —que fue fugaz rey de España con el nombre de Amadeo I— con la princesa Maria del Pozzo della Cisterna. Después de la ceremonia, la carroza en la que iban los recién casados se trasladaba a Turín al palacete de Stupinigi. A su lado iba, caracoleando en un caballo, el conde Francesco Verasis de Castiglione, cuando de pronto se desplomó como fulminado. El príncipe Humberto —después rey de Italia— y el recién casado se precipitaron para ayudar al jinete, pero fue en vano. Una congestión cerebral había matado al conde de Castiglione. Llevaba ocho años separado de su esposa.

Por cierto que en una carta, años después, Virginia dice:

«He aquí cómo quedé viuda a los diecisiete años.» No tenía diecisiete, sino treinta.

La condesa volvió a París en 1868 para ser testigo del hundimiento del segundo Imperio.

Ya no era la amante del emperador, pero fue la reina de la capital imperial. Como nunca, París se puso a sus pies. No estando atada al emperador y a su corte, que no obstante frecuentaba asiduamente, se dedicó a la vida social y mundana, en la que destacó como nadie.

Una noche de 1869, al llegar a las Tullerías, donde se celebraba un baile de gala, la Castiglione entró en el salón por la puerta reservada a los emperadores. Napoleón hizo ver que no se daba cuenta pero la emperatriz decidió vengarse, y el 7 de febrero del mismo año la condesa no fue invitada. No se sabe cómo se procuró una invitación, pero no pudo atravesar más que un salón. Uno de los chambelanes se acercó a ella y con la mayor cortesía y ofreciéndole el brazo le previno que su coche ya estaba preparado y que se dignase seguirle.

El hecho fue conocido inmediatamente y comentado con fruición por todas las damas de la corte. Pero después en un baile de disfraces la Castiglione se presentó disfrazada de reina de Etruria y la condesa Korsakoff le comentó:

—Bonito disfraz, pero es el de una reina destronada.

Éste fue el principio del fin. En 1870 cayó el segundo Imperio después de la derrota de Sedan. Napoleón cayó prisionero y luego se exilió a Inglaterra, donde se le reunió la emperatriz Eugenia.

Caído el Imperio, en la sociedad democrática y burguesa que le sucedió no tenían cabida la galantería y la vida mundana del fenecido régimen. La Castiglione no tenía nada que hacer en el nuevo ambiente de gente nueva y atareada. Por otra parte las desilusiones hicieron que su carácter se volviera ácido y melancólico. No teniendo ánimos para ver en la cara de la gente la expresión de la ironía, o tal vez de la piedad, por su decadencia física, la Castiglione se impuso una rígida clausura. No salía de casa y no recibía más que a unos pocos amigos que debían someterse a misteriosas señales de conspiradores; no podían llamar a la puerta sin silbar de cierto modo, ya convenido, y la puerta se abría misteriosamente.

En su casa fueron retirados todos los espejos para que nada le pudiese hacer ver su progresivo e inevitable envejecimiento. Las ventanas permanecían cerradas herméticamente, tanto de día como de noche. Tenía un coche preparado a su puerta con cochero y lacayo pero no lo usó nunca. Sólo algunas noches, cubierta con un espeso velo, salía sola, melancólica, a pasear por las calles cercanas a su domicilio, siempre procurando pasar por las menos frecuentadas.

Invocaba a la muerte como una liberación, convencida ya de la inutilidad de su vida, y a fuerza de esperarla se había familiarizado también con ella. Una vez escribió tranquilamente a un fiel amigo: «Venid y moriremos juntos», como si se tratase de una invitación para almorzar...

El 28 de noviembre de 1899 la vida de la condesa de Castiglione se apagó dulcemente en una habitación del hotel Voisin, donde algunos meses antes se había instalado sin que se sepa por qué razón.

Murió de una apoplejía. Un testigo de su muerte declaró, en una carta dirigida a un amigo:

«Se sintió bien en los días anteriores; pero tenía grandes contrariedades con su montaña, lo que ha podido acelerar su mal. Debía vender todo o parte de su montaña [sus propiedades de Spezia] y no sé con seguridad si eso se llevó a cabo el sábado. Se apagó esta madrugada, dulcemente, a las tres y treinta minutos. A las once me reconoció todavía, y, creo que hacia las tres, su mirada se posó por última vez sobre los presentes.»

Año 1987

De cómo no se puede decir nada cuando nada sucedió

JUAN Y MARÍA

Juan conoció a María cuando él tenía dieciocho años y ella catorce. Se le declaró después de haber hecho el servicio militar. Ingresó como empleado en un banco y cuando tenía veintiséis años le ascendieron y pudo casarse.

Tuvieron dos hijos y Juan fue ascendiendo en el banco hasta su jubilación, a los sesenta y cinco años. María, por su parte, se había cuidado de la casa, de los hijos, que a su vez se casaron. María cuida ahora de los nietos. Juan y María se levantan por la mañana y él lee el periódico mientras ella le prepara el desayuno. Escuchan la radio. Almuerzan frugalmente. Por la tarde salen a dar un paseo y a veces van al cine, pocas veces pues ya dan bastantes películas por la televisión. Cuando salen, miran escaparates o contemplan a las personas que pasan por su lado; una muchacha extravagante o un joven *punk* les llama la atención, se miran y no se hablan, se han comprendido con la mirada. Piensan igual. Por la noche cenan más frugalmente todavía y miran la televisión hasta que les vence el sueño. Cuando esto sucede, se van a la cama; antes de acostarse, miran los retratos de los hijos y los nietos. Se besan por última vez y se duermen.

Se dice que los pueblos felices no tienen historia. Los seres humanos felices tampoco.

Bibliografía

Creo que a lo largo del libro he citado siempre a los autores en los que he basado estas historias, pero, por si algún libro hubiese olvidado, aquí va una lista de aquellos que más he consultado. Si olvido alguno, pido disculpas.

ALTAYÓ, Isabel, y NOGUÉS, Paloma, *Juana I, la reina cautiva.*
BALLESTER ESCALAS, Rafael, *Grandes enigmas de la Historia.*
BENZONI, Juliette, *Le sang, la gloire et l'amour.*
BONILLA GARCÍA, L., *El amor y un alcance histórico.*
BONILLA GARCÍA, L., *La mujer a través de los siglos.*
BRETON, Guy, *Histoires d'amour de l'Histoire de France.*
CASTELOT, André, *Les battements de coeur de l'Histoire.*
CASTELOT, André, *Belles et tragiques amours de l'Histoire.*
CASTELOT, André, *Les grands amours de l'Histoire.*
DECAUX, Alain, *Histoire des françaises.*
DÍAZ-PLAJA, Fernando, *Teresa Cabarrús. Una española en la Revolución francesa.*
DOTOR, Ángel, *Mujeres célebres.*
ERLANGER, Philippe, *Aventuriers et favorites.*
FLANDRIN, Jean Louis, *La moral sexual en Occidente.*
FLEMING, Maureen, *La vie romanesque d'Elisabeth d'Autriche.*
FRANZIERO, Carlo Maria, *Cleopatra.*
GILLOIS, André, *L'art d'aimer.*
GONZÁLEZ-DORIA, Fernando, *Las reinas de España.*
GONZÁLEZ CREMONA, Juan Manuel, *Soberanas de la Casa de Austria.*
GIMAL, Pièrre (ed.), *Historia mundial de la mujer.*
JOURCIN A. VAN TIEGHEM, Ph., *Mujeres célebres.*
LACOUTURE, Jean, y D'ARAGON, Marie-Christine, *Julie de Lespinasse. Mourir d'amour.*
LEVINSOHN, Richard, *Historia de la vida sexual.*
LOLLIÉE, Frédéric, *Les femmes du Second Empire.*
MAZZUCCHELLI, Mario, *L'emperatrice senza impero.*
OVIDIO, *Ars amandi.*

OVIDIO, *Remedia amoris.*
PETITFILS, Jean-Christian, *L'affaire des Poisons.*
PFANDL, Ludwig, *Juana la Loca.*
PI SUNYER, Carles, *La vida i les lletres de Júlia de Lespinasse.*
SAENZ-RICO URBINA, Alfredo, *El Virrey Amat.*
SOLE, Jacques, *El amor en Occidente.*
SOTOCA GARCÍA, José Luis, *Los amantes de Teruel. La tradición en la historia.*
STRACCIATTI, Ettore, *El amor en la Roma pagana.*
TANNAHILL, Reay, *Sex in History.*
TAYLOR G., Rattray, *Une interpretation sexuelle de l'Histoire.*
TINAYRE, Marcelle, *La vie amoreuse de madame de Pompadour.*
TSCHUPRIK, Karl, *Elisabeth, imperatrice d'Autriche.*
TURNER, E. S., *Historia de la galantería.*
VALLEJO-NAGERA, Juan Antonio, *Locos egregios.*
VIGIL, Mario, *La vida de las mujeres en los siglos XVI y XVII.*
VOLTES, María José y Pedro, *Las mujeres en la Historia de España.*
WALLACE, Irving, *Ninfómanas y otras maníacas.*
WERTHEIMER, Oscar von, *Cleopatra.*

Índice onomástico

MEMORIA de la HISTORIA

Títulos publicados

1/Fernando Vizcaíno Casas
ISABEL, CAMISA VIEJA
El popularísimo escritor español aborda el género biográfico con gran rigor y amenidad.

2/Carlos Fisas
HISTORIAS DE LAS REINAS DE ESPAÑA
*La Casa de Austria
Una semblanza sorprendente de las grandes desconocidas de nuestra historia: las mujeres que compartieron el trono de España.

3/Juan Antonio Vallejo-Nágera
PERFILES HUMANOS
Protagonistas de la Historia vistos desde un ángulo insólito.

4/Juan Eslava Galán
YO, ANÍBAL
La figura trágica de Aníbal, que, haciendo honor a un juramento emitido en su infancia, se propuso sojuzgar a Roma y restituir a Cartago el dominio del Mediterráneo.

5/J. J. Benítez
YO, JULIO VERNE
Confesiones del más incomprendido de los genios.

6/Néstor Luján
LA VIDA COTIDIANA EN EL SIGLO DE ORO ESPAÑOL
Una visión amplísima y profunda de uno de los períodos más apasionantes de la historia de España.

7/Fernando Díaz-Plaja
A LA SOMBRA DE LA GUILLOTINA
La cara sangrienta de la Revolución francesa cuando el trágico invento era dueño de Francia.

8/Fernando Vizcaíno Casas
LAS MUJERES DEL REY CATÓLICO
Una apasionante combinación de historia y fantasía, documento y novela, tan rigurosa y amena como Isabel, camisa vieja.

9/Cruz Martínez Esteruelas
FRANCISCO DE BORJA, EL NIETO DEL ESCÁNDALO
El gran santo jesuita en el apasionante escenario del siglo XVI.

10/Cristóbal Zaragoza
YO, JUAN PRIM
Una espléndida interiorización del drama, la agonía y la muerte del general Prim.

11/Ricardo de la Cierva
YO, FELIPE II
Un retrato histórico plenamente humano y muy distinto de las interpretaciones rutinarias.

12/Carmen Barberá
YO, LUCRECIA BORGIA
La turbulenta y dramática vida de uno de los personajes femeninos más enigmáticos de la historia.

13/Juan Antonio Vallejo-Nágera
LOCOS EGREGIOS
Una visión muy original de personajes esenciales del pasado.